EL REVERSO DE LA CONQUISTA

EL LEGADO DE LA AMÉRICA INDÍGENA

Serie dirigida por
MIGUEL LEÓN-PORTILLA
Y DEMETRIO SODI M.

EDITORIAL JOAQUÍN MORTIZ · MÉXICO

EL REVERSO
DE LA CONQUISTA

Relaciones aztecas, mayas e incas

por

MIGUEL LEÓN-PORTILLA

Primera edición, 1964
Vigésimoprimera reimpresión, agosto de 1991
D.R. © Editorial Joaquín Mortiz, S.A. de C.V.
Grupo Editorial Planeta
Insurgentes Sur 1162-3o, Col. Del Valle
Deleg. Benito Juárez, 03100, D.F.

ISBN 968-27-0044-2

NOTA PRELIMINAR

En este libro hablarán los vencidos. Aquí están las palabras que dejaron dichas algunos de los supervivientes aztecas, mayas y quechuas acerca de la Conquista. Con amor y emoción hemos recogido en crónicas y manuscritos las palabras verdaderas en las que se trasluce el heroísmo, la visión angustiada y la tragedia de tres pueblos, creadores extraordinarios de cultura. Es éste el triple espejo en el que quedó reflejada para siempre la otra cara de la Conquista.

Cuando en 1959 publicamos la primera edición de la *Visión de los Vencidos* con los testimonios aztecas de la Conquista, señalamos la posibilidad de reunir en forma semejante las relaciones dejadas por escritores del mundo maya sobre igual tema. Un acercamiento a los cronistas indígenas del Perú muestra que, también entre los descendientes del gran pueblo quechua, los vencidos pusieron por escrito su propia versión de la conquista del estado incaico. El presente libro, *El Reverso de la Conquista,* ofrece breve descripción de los principales testimonios aztecas, mayas y quechuas y reúne en una especie de antología aquellos que parecen ser los más genuinos y más profundamente humanos.

Sin duda los investigadores especializados, mexicanistas, mayistas y peruanistas, tienen ya conocimiento amplio de estas crónicas en las que se consigna la memoria de los vencidos. Pero, y así lo pensamos desde un principio, el público en general y aun algunos estudiosos menos versados en el legado documental indígena, tendrán interés por conocer, así reunidos, varios de los textos en los que quedó reflejado para siempre el concepto y la experiencia trágica de la Conquista, vivida y contemplada por los indios.

Esta antología de relaciones aztecas, mayas e incas, quiere ser acercamiento a la visión final, plenamente conciente, dejada por los supervivientes de esas tres culturas. Como en cada caso habremos de discutir brevemente el origen, autenticidad y contenido de los diversos textos y pinturas indígenas, tan sólo añadiremos que, al ofrecer aquí la versión épica y traumatizada de los historiadores aztecas, las consideraciones de altura casi filosófica de algunos vencidos mayas y las relaciones dramáticas y a veces resignadas de los quechuas, nuestro propósito, más allá de cualquier partidarismo sectario que buscara revivir odios superados, es ahondar en el conocimiento de uno de los momentos clave para la comprensión del mundo hispanoamericano que habría de nacer como consecuencia del encuentro de indígenas y españoles. Porque, si es cierto que en muchos de nuestros pueblos el trauma de la Conquista ha dejado honda huella, es también verdad que el estudio conciente de ese hecho imposible de suprimir, será labor de catarsis y enraizamiento del propio ser.

Al iniciar con este volumen la serie sobre el *Legado de la América Indígena* tratamos de hacer llegar al mayor número de lectores estos testimonios acerca del violento choque de culturas que fue la Conquista. Estamos persuadidos de que, acercándonos a la historia y a la literatura indígenas, sin hacer supresión anacrónica e imposible de lo Occidental, que es ya también nuestro, acabaremos de comprender en un contexto universal y humano nuestras raíces, nuestras deficiencias y verdadera grandeza para el presente y el porvenir.

MIGUEL LEÓN-PORTILLA

Celhuayocan, Morelos,
y Ciudad Universitaria, México,
primavera-otoño de 1963.

I
MEMORIA AZTECA DE LA CONQUISTA

INTRODUCCIÓN

La secuencia de los hechos

La primera de las grandes conquistas de las que se conservan testimonios indígenas es la del mundo azteca. Los mexicas, como se llamaban a sí mismos los aztecas, habían alcanzado a principios del siglo XVI su máximo desarrollo y esplendor. Obviamente su grandeza no fue resultado de generación espontánea. El "Pueblo del Sol", el escogido del dios de la guerra, Huitzilopochtli, había heredado sus instituciones culturales de los toltecas y en última instancia de otros pueblos más antiguos como los teotihuacanos que habían florecido durante los primeros siglos de la era cristiana.

La nación azteca, con su gran capital, México-Tenochtitlan, en la que había templos y palacios extraordinarios, con esculturas y pinturas murales, con sus centros de educación, y con una conciencia histórica preservada en sus códices o libros de pinturas, era un estado poderoso que dominaba vastas regiones, desde el Golfo de México hasta el Pacífico, y que llegaba por el sur hasta las fronteras de la actual Guatemala. Su gloria y su fama eran bien conocidas de todos los pueblos de los cuatro rumbos del universo indígena. Precisamente por su poderío y su riqueza iban a tener noticia de ella los conquistadores españoles, establecidos ya en la isla de Cuba. Así, mientras los aztecas seguían ensanchando sus dominios, a una distancia relativamente cercana había hombres, venidos de más allá de las aguas inmensas, que se disponían a emprender su conquista.

El 18 de febrero de 1519 Hernán Cortés parte de la isla de Cuba, al frente de una armada integrada por once naves. Trae consigo poco más de 600 hombres, 16 caballos, 32 ballestas, 10 cañones de bronce y algunas otras piezas de artillería de corto calibre. Vienen con él varios hombres que llegarán a ser famosos en la conquista del Nuevo Mundo. Entre ellos está Pedro de Alvarado, a quien los aztecas habrían de apodar Tonatiuh, "el sol", por su gran prestancia y lo rubio subido de su cabellera. Alvarado habría de ser el único de los grandes capitanes que iba a participar también en la conquista de Guatemala y más tarde en la del Perú. Con Hernán Cortés vienen asimismo Francisco de Montejo, futuro conquistador de Yucatán, Bernal Díaz del Castillo y otros varios más que consignarán por escrito la historia de esta serie de expediciones.

Al pasar por las costas de Yucatán, Cortés recoge a Jerónimo de Aguilar que había quedado allí como consecuencia de un naufragio y que había aprendido la lengua maya con fluidez. Más adelante, frente a la desembocadura del Grijalva, recibe Cortés veinte esclavas indígenas, una de las cuales, la célebre Malinche, desempeñará un importante papel en la Conquista. La Malinche hablaba la lengua maya y la azteca o náhuatl. Gracias a la presencia simultánea de Jerónimo de Aguilar y de la Malinche, Cortés contó desde un principio con un sistema perfecto para darse a entender con los aztecas. Él hablaría en español con Jerónimo de Aguilar; éste a su vez, sirviéndose del maya, traduciría lo dicho a la Malinche, y ella por fin se dirigiría directamente en lengua azteca a los enviados y emisarios de Motecuhzoma desde sus primeros encuentros en las cercanías de la actual Veracruz.

Precisamente el Viernes Santo, 22 de abril de 1519, los conquistadores desembarcaban en las costas de Veracruz. Un poco más de seis meses después, el 8 de noviembre de 1519, contemplaban con ojos atónitos la metrópoli de México-Tenochtitlan, la gran ciudad construida por los aztecas en medio de los lagos en el Valle de México.

Tanto los cronistas españoles como los indígenas refieren puntualmente los varios acontecimientos que tuvieron lugar. Los textos en idioma azteca hablan de los mensajes enviados por Motecuhzoma, de los presentes de oro y plata. Hernán Cortés en sus cartas de relación a Carlos V, Bernal Díaz en su *Historia Verdadera de la Conquista,* así como el resto de los cronistas españoles, refieren sus primeros contactos con la gente de Cempoala en las costas del Golfo, su puesta en marcha hacia la altiplanicie, su alianza con los señores de Tlaxcala, su paso por Cholula donde se perpetró la matanza de las gentes de ese lugar y por fin, después de cruzar volcanes, su llegada a la ciudad de México-Tenochtitlan y su encuentro con Motecuhzoma que los recibe como huéspedes.

Los textos indígenas por su parte son expresivos al pintar ese encuentro en la Calzada de Iztapalapa, que unía a la ciudad con la ribera del lago por el Sur. Desde un principio el gran Señor de los aztecas había creído que se trataba del retorno de Quetzalcóatl y de los dioses que lo acompañaban.

La estancia de los hombres de Castilla como huéspedes en la capital azteca tuvo un final violento. Cortés había tenido que ausentarse para ir a combatir a Pánfilo de Narváez, quien venía a quitarle el mando por órdenes del gobernador de Cuba. Pedro de Alvarado, queriendo anotarse un triunfo, atacó por traición a los aztecas, durante la gran fiesta de Tóxcatl, que se celebraba en fecha cercana a la Pascua de Resurrección del año de 1520. Las relaciones aztecas que evocan este episodio se transforman aquí y en otros pasajes en poema épico, especie de *Ilíada* indígena.

Cuando Hernán Cortés regresa, después de vencer a

Narváez, tiene que hacer frente a la justa indignación de los aztecas. Decide entonces escapar de la ciudad. En su huida pierde más de la mitad de sus hombres, así como todos los tesoros de que se había apoderado. Esta derrota sufrida por los conquistadores al huir de la ciudad por el rumbo del poniente, por la calzada de Tacuba, se conoce con el nombre de "la noche triste" del 30 de junio de 1520.

Los españoles marchan en busca del auxilio de sus aliados tlaxcaltecas y no es sino hasta casi un año después, o sea el 30 de mayo de 1521, cuando pueden dar principio al asedio formal de México-Tenochtitlan. Para esto concentra Hernán Cortés más de 80 000 soldados tlaxcaltecas y refuerza sus propias tropas españolas con la llegada de varias otras expediciones a Veracruz. Además, desde el 28 de abril de ese mismo año, bota al agua trece bergantines que jugarán un papel muy importante en el asedio de la isla.

Las crónicas indígenas hablan de la forma en que los españoles comienzan a atacar a la ciudad a partir del 30 de mayo de 1521. Refieren las diversas incursiones de esos hombres que en un principio habían sido tenidos por dioses, pero a los que al fin se les llama "popolocas", palabra con que designaron los aztecas a los pueblos que tuvieron por "bárbaros".

En las crónicas se recuerda también la elección del joven Cuauhtémoc, escogido como gobernante supremo, ya que muerto Motecuhzoma, su sucesor, el príncipe Cuitláhuac, había también fallecido víctima de la epidemia de viruela que, traída por los españoles, causó tantas bajas entre los indígenas. Durante el reinado de Cuauhtémoc los hechos de armas se suceden unos tras otros y no puede negarse que hay actos de heroísmo por ambas partes. Una vez más las relaciones indígenas adquieren la elocuencia de un maravilloso poema épico.

Por fin, casi después de ochenta días de sitio, en una fecha 1-Serpiente, del año 3-Casa, que corresponde al 13 de agosto de 1521, cae la ciudad de México-Tenochtitlan y es hecho prisionero el joven Cuauhtémoc. Lo que siguió a la Conquista lo relatan también los historiadores indígenas.

Ésta es en breve síntesis la secuencia de los hechos que aquí se presentan desde el punto de vista de los vencidos. Veamos ahora el origen de estos textos y la forma como han llegado hasta nosotros.

Los testimonios aztecas de la Conquista

Las relaciones y pinturas dejadas por los aztecas acerca de la Conquista pasan de doce. Mencionaremos aquí algunas de las principales. Las más antiguas, cuyo origen puede fijarse entre los años de 1523 y 1524, son varios cantares compuestos a la usanza antigua por algunos de los poetas indígenas supervivientes. De estos cantares se ofrecen algunos ejemplos en el presente trabajo. Sus autores los pusieron por escrito probablemente algunos años más tarde, al aprender el uso del alfabeto. El manuscrito del siglo XVI que contiene estos poemas se conserva en la Biblioteca Nacional de México.[1]

Además de los poemas, existen varias pinturas con glifos indígenas acerca de la Conquista, en los que sobrevive la antigua forma de escritura, en parte ideográfica y en parte fonética. Tan sólo mencionaremos aquí los títulos de algunas de esas pinturas: el *Lienzo de Tlaxcala*, de mediados del siglo XVI, que ofrece en 80 cuadros una relación de los tlaxcaltecas, aliados de los

[1] De este manuscrito existe una reproducción facsimilar: *Colección de Cantares Mexicanos,* edición de Antonio Peñafiel, México, 1904.

conquistadores.[2] Son asimismo importantes las pinturas de los códices *Azcatitlan, Mexicanus, Aubin* y *Ramírez,* debidos todos ellos a amanuenses indígenas del siglo XVI.[3]

Finalmente deben mencionarse también las numerosas ilustraciones correspondientes al texto en náhuatl de los informantes indígenas de Fray Bernardino de Sahagún incluidas en el *Códice Florentino.*[4]

Entre las relaciones escritas en náhuatl, pero ya con el alfabeto latino, está el Manuscrito 22 de la Biblioteca Nacional de París, conocido bajo el título de *Unos Anales Históricos de la Nación Mexicana,* redactado por autores anónimos de Tlatelolco hacia 1528.

Este valioso testimonio pone al descubierto un hecho ciertamente extraordinario: el de un grupo de indios, que antes de la fundación misma del Colegio de Santa Cruz, llegaron a dominar a la perfección el alfabeto latino y se sirvieron de él para consignar por escrito diversos recuerdos de sus tiempos pasados y sobre todo su propia visión de la Conquista.

Si como documento son valiosos estos anales, desde un punto de vista literario y humano lo son todavía más, porque en ellos se expresa por vez primera con no pocos detalles el cuadro de la destrucción de la cultura náhuatl, tal como la vieron algunos de sus supervivientes. La versión castellana de este texto, preparada sobre la base de la reproducción facsimilar del mencionado manuscrito de la Biblioteca Nacional de París, se incluye aquí en lo que a la Conquista se refiere.

[2] "Lienzo de Tlaxcala", publicado en *Antigüedades Mexicanas.* Junta Colombina, IV Centenario del Descubrimiento de América, México, 1892.

[3] Véase la Bibliografía al final de este volumen.

[4] *Códice Florentino* (Ilustraciones), ed. facs. de Francisco del Paso y Troncoso, Vol. V. Madrid, 1905.

Sigue en importancia y antigüedad al texto de 1528, la mucho más amplia relación de la Conquista que, bajo la mirada de Fray Bernardino de Sahagún, redactaron en idioma náhuatl varios de sus estudiantes indígenas de Tlatelolco, aprovechando los informes de ancianos testigos de la Conquista. Según parece, la primera redacción de este texto "en el lenguaje indiano, tan tosco como ellos lo pronunciaron", como escribe Sahagún, quedó terminada hacia 1555. Posteriormente Fray Bernardino hizo un resumen castellano de la misma. Desgraciadamente la primera redacción en náhuatl de 1555, se extravió. Se conoce en cambio una segunda redacción asimismo en náhuatl, concluida hacia 1585 y en la que, según Sahagún, se hicieron varias correcciones respecto de la primera, ya que en aquella "se pusieron algunas cosas que fueron mal puestas y otras se callaron que fueron mal calladas..."

No es posible decir si ganó o perdió el texto con esta enmienda, en tanto que no conozcamos el primitivo. El hecho es que, tal como hoy se conserva la relación de la Conquista, debida a los informantes de Sahagún, constituye el testimonio más amplio dejado por los indios al respecto. Abarca desde los varios presagios que se dejaron ver, "cuando aún no habían venido los españoles a esta tierra", hasta uno de los discursos "con que amonestó don Hernando Cortés a todos los señores de México, Tezcoco y Tlacopan", exigiéndoles la entrega del oro y de sus varios tesoros. En las páginas que siguen se incorporan numerosas secciones de tan valioso testimonio.[5]

Además de estas fuentes se conservan otras varias re-

[5] El texto en náhuatl con la relación de la Conquista debida a los informantes de Sahagún, está incluido en el Libro XII del *Códice Florentino* que se conserva en la Biblioteca Laurentiana de Florencia.

laciones indígenas acerca de la Conquista, que si son de menor extensión, son asimismo de considerable importancia. Entre ellas están los textos en náhuatl del *Códice Aubin*, la *Séptima Relación* de Chimalpain Cuautlehuanitzin, los *Anales de Azcapotzalco*, la *Crónica Mexicana de Tezozómoc*, esta última conservada únicamente en castellano. En esta misma lengua existen finalmente las relaciones de historiadores mestizos como Fernando de Alva Ixtlilxóchitl, quien en su XIII Relación, así como en su *Historia Chichimeca*, ofrece una interpretación histórica de la Conquista desde el punto de vista de los tezcocanos. Por su parte, Diego Muñoz Camargo, mestizo de Tlaxcala, dejó igualmente su propia versión de la Conquista, que es la de un aliado de los españoles, en su *Historia de Tlaxcala*.[6]

Para concluir mencionaremos un último texto particularmente importante: el llamado *Libro de los Coloquios*. En él se presenta en idioma náhuatl la última actuación pública de algunos sabios y sacerdotes indígenas que defendieron sus creencias y forma de vida ante la impugnación de los doce primeros franciscanos llegados a la Nueva España en 1524. El manuscrito original mutilado (sólo catorce capítulos de los treinta primitivos), fue descubierto en el Archivo Secreto del Vaticano en 1924. Se debe a Fray Bernardino de Sahagún la recopilación del mismo con la participación de algunos de sus estudiantes de Tlatelolco. En este texto, con el que daremos principio a la visión azteca de la Conquista, encontramos algo hasta ahora poco conocido: el testimonio dramático, las discusiones y alegatos de los supervivientes aztecas que defienden su propia manera

---

[6] Las correspondientes referencias bibliográficas de estas crónicas y relaciones se ofrecen en la Bibliografía General al final de este volumen.

de concebir al mundo ante los frailes misioneros que la impugnan.[7]

El concepto azteca de la Conquista

No siendo posible adentrarnos aquí en un análisis de los varios textos en los que los cronistas aztecas consignaron su visión de la Conquista, tan sólo apuntaremos a algunas de sus ideas y expresiones en las que se trasluce el concepto central que se formaron acerca de la llegada de los hombres de Castilla, sus luchas y la propia derrota que vino a significar la muerte de sus dioses y la destrucción de la antigua cultura.

El primer rasgo fundamental de la visión azteca de la Conquista es lo que podría describirse como el cuadro mágico en el que ésta habrá de desarrollarse. Los aztecas afirman que pocos años antes de la llegada de los hombres de Castilla hubo una serie de portentos y presagios que anunciaban lo que habría de suceder. En el pensamiento del señor Motecuhzoma la espiga de fuego que apareció en el cielo, el templo que ardió por sí mismo, el agua que hirvió en medio del lago, las voces de una mujer que gritaba por la noche, las visiones de hombres que venían atropellándose montados en una especie de venados, todo ello parecía presagiar que era ya el mo-

[7] El *Libro de los Coloquios de los Doce* no ha sido traducido al castellano en forma íntegra. Existe sólo un resumen de él en español preparado por el mismo Fray Bernardino de Sahagún. La traducción parcial que aquí se ofrece ha sido preparada por el autor de este trabajo. Walter Lehmann ha publicado en Alemania la paleografía del texto con traducción al alemán: *Sterbende Götter und Christliche Heilsbotschaft*, Wechselreden Indianischer Vernehmer und Spanischer Glaubensapostel in Mexico 1524. Spanischer und mexikanischer Text mit deutscher Übersetzung von Walter Lehmann, Stuttgart, 1949.

mento, anunciado en los códices, del regreso de Quetzalcóatl y los dioses.

Mas, cuando llegaron las primeras noticias procedentes de las costas del Golfo acerca de la presencia de seres extraños llegados en barcas grandes como montañas, que montaban en una especie de venados enormes, que tenían perros grandes y feroces y que poseían instrumentos lanzadores de fuego, Motecuhzoma y sus consejeros entraron en duda. Por una parte parecía que tal vez Quetzalcóatl había regresado. Pero, por otra, no había certeza de ello. En el corazón de Motecuhzoma nació entonces la angustia. Por esto envió mensajeros que suplicaron a los forasteros se marcharan a su lugar de origen.

La duda acerca de la identidad de los hombres de Castilla subsistió hasta el momento en que, huéspedes ya de los aztecas en Tenochtitlan, perpetraron la matanza del templo mayor. El pueblo en general sí había creído que los extranjeros eran dioses. Mas, cuando vieron su modo de comportarse, su codicia y su furia, forzados por la realidad, hubieron de cambiar su manera de pensar: los extranjeros no eran dioses, sino popolocas o bárbaros que habían venido a destruir su ciudad y la antigua forma de vida.

Las luchas ulteriores de la Conquista, consignadas por los historiadores indígenas, dan testimonio del heroísmo de la defensa. Pero la derrota final, al ser narrada en los textos aztecas, es ya testimonio de un trauma profundo. La visión final es a la vez dramática y trágica. Claramente puede verse esto en el siguiente "canto triste" o *icnocuícatl*:

En los caminos yacen dardos rotos;
los cabellos están esparcidos.
Destechadas están las casas,

enrojecidos tienen sus muros.
Gusanos pululan por calles y plazas,
y están las paredes manchadas de sesos.
Rojas están las aguas, cual si las hubieran teñido,
y si las bebíamos, eran agua de salitre.
Golpeábamos los muros de adobe en nuestra ansiedad
y nos quedaba por herencia una red de agujeros.
En los escudos estuvo nuestro resguardo,
pero los escudos no detienen la desolación...[8]

Las palabras anteriores encuentran nuevo eco en la respuesta de los sabios a los doce franciscanos llegados en 1524:

¡Déjennos pues ya morir,
déjennos ya perecer,
puesto que ya nuestros dioses han muerto![9]

Muchas otras citas pudieran acumularse para mostrar lo que fue en el alma indígena el trauma de la Conquista. Creemos preferible que el propio lector descubra por sí mismo en los textos que aquí se incluyen la experiencia del pueblo que, tras resistir con armas desiguales, se contempló a sí mismo vencido. No hay que olvidar que los aztecas eran los seguidores del dios de la guerra, Huitzilopochtli; que se consideraban a sí mismos escogidos del sol y que hasta entonces habían creído siempre que su misión cósmica y divina era someter a todas las gentes de los cuatro rumbos del universo. Quienes se tenían por invencibles, el pueblo del sol, el más poderoso de la América Media, tuvo que aceptar

[8] *Ms. Anónimo de Tlatelolco* (1528), edición facsimilar de E. Mengin, Copenhagen, 1945, fol. 33.
[9] *Libro de los Coloquios, op. cit.*

su derrota. Muertos los dioses, perdido el gobierno y el mando, la fama y la gloria, la experiencia de la Conquista significó algo más que tragedia, quedó clavada en el alma y su recuerdo pasó a ser un trauma.

LOS TESTIMONIOS AZTECAS
DE LA CONQUISTA

1. LOS DIÁLOGOS CON LOS SABIOS
INDÍGENAS

*Se da principio a esta antología con un antiguo texto
tomado del libro de los* Coloquios de los Doce *en el cual
se conservan los diálogos y discusiones entre los primeros
franciscanos venidos a la Nueva España en 1524 y algunos sabios y sacerdotes aztecas supervivientes. Los misioneros adoctrinan a un grupo de señores principales
en el atrio del convento de San Francisco en la recién
conquistada Tenochtitlan. Violentamente condenan las
antiguas creencias religiosas. Cuando los frailes dan por
terminada su lección, se pone en pie uno de los señores
principales y "con cortesía y urbanidad", manifiesta su
disgusto al ver así atacadas las costumbres y creencias
tan estimadas por sus abuelos y abuelas. Confiesa no
ser él un sabio, pero afirma en seguida que todavía
viven algunos maestros, entre quienes enumera a los
sacerdotes, a los astrólogos, a los que guardaban los antiguos libros de pinturas; ellos podrán responder a los
frailes:*

Mas, señores nuestros,
hay quienes nos guían,
nos gobiernan, nos llevan a cuestas,
en razón de cómo deben ser venerados nuestros dioses,
cuyos servidores somos como la cola y el ala,
quienes hacen las ofrendas, quienes inciensan,
y los llamados sacerdotes de Quetzalcóatl.
Los sabedores de discursos,
es de ellos obligación,

se ocupan día y noche,
de poner el copal,
de su ofrecimiento,
de las espinas para sangrarse.
Los que ven, los que se dedican a observar
el curso y el proceder ordenado del cielo,
cómo se divide la noche.
Los que están mirando [leyendo], los que cuentan [o
 refieren lo que leen].
Los que vuelven ruidosamente las hojas de los códices.
Los que tienen en su poder la tinta negra y roja [la
 sabiduría] y lo pintado,
ellos nos llevan, nos guían, nos dicen el camino.
Quienes ordenan cómo cae un año,
cómo sigue su camino la cuenta de los destinos y los
 días y cada una de las veintenas [los meses].
De esto se ocupan, a ellos toca hablar de los dioses.[1]

*Pocos días después, aparecen los sabios y los sacerdotes
supervivientes. En su respuesta esgrimen los argumentos
que juzgan más apropiados para mostrar que su antigua
forma de pensamiento acerca de la divinidad puede y
debe ser respetada. En ella hay ciertamente un elevado
concepto acerca del Dador de la vida. He aquí las palabras de los antiguos sabios aztecas:*

Señores nuestros, muy estimados señores:
Habéis padecido trabajos para llegar a esta tierra.
Aquí ante vosotros,

[1] Colloquios y Doctrina Christiana con que los Doze Frayles
de San Francisco enbiados por el Papa Adriano Sesto y por el
Emperador Carlos Quinto convertieron a los Indios de la Nueua
Espanya, en Lengua Mexicana y Española. De este manuscri-
to existe una reproducción facsimilar en *Revista Mexicana de
Estudios Históricos,* apéndice al tomo I, pp. 101 y siguientes.

24

os contemplamos, nosotros gente ignorante...
Y ahora ¿qué es lo que diremos?
¿qué es lo que debemos dirigir a
vuestros oídos?
¿Somos acaso algo?
Somos tan sólo gente vulgar...
Por medio del intérprete respondemos,
devolvemos el aliento y la palabra
del Señor del cerca y del junto.
Por razón de él, nos arriesgamos
por esto nos metemos en peligro...
Tal vez a nuestra perdición, tal vez a nuestra destrucción,
es sólo a donde seremos llevados
[Mas] ¿a dónde deberemos ir aún?
Somos gente vulgar,
somos perecederos, somos mortales,
déjennos pues ya morir,
déjennos ya perecer,
puesto que ya nuestros dioses han muerto.
[Pero] Tranquilícese vuestro corazón y vuestra carne,
¡Señores nuestros!
porque romperemos un poco,
ahora un poquito abriremos
el secreto, el arca del Señor, nuestro [dios].
Vosotros dijisteis
que nosotros no conocemos
al Señor del cerca y del junto,
a aquel de quien son los cielos y la tierra.
Dijisteis
que no eran verdaderos nuestros dioses.
Nueva palabra es ésta,
la que habláis,
por ella estamos perturbados,
por ella estamos molestos.
Porque nuestros progenitores,

los que han sido, los que han vivido sobre la tierra,
no solían hablar así.
Ellos nos dieron
sus normas de vida,
ellos tenían por verdaderos,
daban culto,
honraban a los dioses.
Ellos nos estuvieron enseñando
todas sus formas de culto,
todos sus modos de honrar [a los dioses].
Así, ante ellos acercamos la tierra a la boca,
[por ellos] nos sangramos,
cumplimos las promesas,
quemamos copal [incienso]
y ofrecemos sacrificios.
Era doctrina de nuestros mayores
que son los dioses por quien se vive,
ellos nos merecieron [con su sacrificio nos dieron vida].
¿En qué forma, cuándo, dónde?
Cuando aún era de noche.
Era su doctrina
que ellos nos dan nuestro sustento,
todo cuanto se bebe y se come,
lo que conserva la vida, el maíz, el frijol,
los bledos, la chía.
Ellos son a quienes pedimos
agua, lluvia,
por las que se producen las cosas en la tierra.
Ellos mismos son ricos,
son felices,
poseen las cosas,
de manera que siempre y por siempre,
las cosas están germinando y verdean en su casa...
allá 'donde de algún modo se existe', en el lugar de
Tlalocan.

Nunca hay allí hambre,
no hay enfermedad,
no hay pobreza.
Ellos dan a la gente
el valor y el mando ...
Y ¿en qué forma, cuándo, dónde, fueron los dioses in-
    vocados,
fueron suplicados, fueron tenidos por tales,
fueron reverenciados?
De esto hace ya muchísimo tiempo,
fue allá en Tula,
fue allá en Huapalcalco,
fue allá en Xuchatlapan,
fue allá en Tlamohuanchan,
fue allá en Yohuallichan,
fue allá en Teotihuacan.
Ellos sobre todo el mundo
habían fundado
su dominio.
Ellos dieron
el mando, el poder,
la gloria, la fama.
Y ahora, nosotros
¿destruiremos
la antigua regla de vida?
¿La de los chichimecas,
de los toltecas,
de los acolhuas,
de los tecpanecas?
Nosotros sabemos
a quien se debe la vida,
a quien se debe el nacer,
a quien se debe el ser engendrado,
a quien se debe el crecer,
cómo hay que invocar,

cómo hay que rogar.
Oíd, señores nuestros,
no hagáis algo
a vuestro pueblo
que le acarree la desgracia,
que lo haga perecer...
Tranquila y amistosamente
considerad, señores nuestros,
lo que es necesario.
No podemos estar tranquilos,
y ciertamente no creemos aún,
no lo tomamos por verdad,
[aun cuando] os ofendamos.
Aquí están
los señores, los que gobiernan,
los que llevan, tienen a su cargo
el mundo entero.
Es ya bastante que hayamos perdido,
que se nos haya quitado,
que se nos haya impedido
nuestro gobierno.
Si en el mismo lugar
permanecemos,
sólo seremos prisioneros.
Haced con nosotros
lo que queráis.
Esto es todo lo que respondemos,
lo que contestamos,
a vuestro aliento,
a vuestra palabra,
¡oh Señores Nuestros!" [2]

[2] *Colloquios y doctrina*... Véase la paleografía del texto náhuatl en la edición de W. Lehmann, pp. 100-106. (Versión del texto náhuatl: M. León-Portilla.)

2. LOS PRESAGIOS FUNESTOS SEGÚN LOS INFORMANTES DE SAHAGÚN

Los textos que a continuación se presentan, traducidos directamente del náhuatl, se deben a los informantes indígenas de Sahagún, algunos de ellos testigos oculares de la Conquista. El primer texto narra una serie de presagios y prodigios funestos que afirmaron ver los antiguos mexicanos y de manera especial Motecuhzoma desde unos diez años antes de la llegada de los hombres de Castilla.

Primer presagio funesto: Diez años antes de venir los hombres de Castilla primeramente se mostró un funesto presagio en el cielo. Una como espiga de fuego, una como llama de fuego, una como aurora: se mostraba como si estuviere goteando, como si estuviera punzando en el cielo.

Ancha de asiento, angosta de vértice. Bien al medio del cielo, bien al centro del cielo llegaba, bien al cielo estaba alcanzando.

Y de este modo se veía: allá en el oriente se mostraba: de este modo llegaba a la medianoche. Se manifestaba: estaba aún en el amanecer: hasta entonces la hacía desaparecer el sol.

Y en el tiempo en que estaba apareciendo: por un año venía a mostrarse. Comenzó en el año 12-Casa.[3]

Pues cuando se mostraba había alboroto general: se daban palmadas en los labios las gentes; había un gran azoro; hacían interminables comentarios.

Segundo presagio funesto que sucedió aquí en México: por su propia cuenta se abrasó en llamas, se prendió en

[3] El año 12-Casa, según la cuenta de los antiguos mexicanos. En la cronología cristiana el año de 1517.

fuego: nadie tal vez puso fuego, sino por su espontánea acción ardió la casa de Huitzilopochtli. Se llamaba su sitio divino, el sitio denominado "Tlacateccan" [casa de mando].

Se mostró: ya arden las columnas. De adentro salen acá las llamas de fuego, las lenguas de fuego, las llamaradas de fuego.

Rápidamente en extremo acabó el fuego todo el maderamen de la casa. Al momento hubo vocerío estruendoso; dicen: "¡Mexicanos, venid de prisa: se apagará! ¡Traed vuestros cántaros!..."

Pero cuando le echaban agua, cuando intentaban apagarla, sólo se enardecía flameando más. No pudo apagarse: del todo ardió.

Tercer presagio funesto: fue herido por un rayo un templo. Sólo de paja era: en donde se llama "Tzummulco".[4] El templo de Xiuhtecuhtli. No llovía recio, sólo lloviznaba levemente. Así, se tuvo por presagio; decían de este modo: "No más fue golpe del Sol." Tampoco se oyó el trueno.

Cuarto presagio funesto: cuando había aún sol, cayó un fuego. En tres partes dividido: salió de donde el sol se mete: iba derecho viendo a donde sale el sol; como si fuera brasa, iba cayendo en lluvia de chispas. Larga se tendió su cauda; lejos llegó su cola. Y cuando visto fue, hubo gran alboroto: como si estuvieran tocando cascabeles.

Quinto presagio funesto: hirvió el agua: el viento la hizo alborotarse hirviendo. Como si hirviera en furia,

---

[4] Tzummulco o Tzomolco: "en el cabello mullido", era uno de los edificios del Templo Mayor de Tenochtitlan.

como si en pedazos se rompiera al revolverse. Fue su impulso muy lejos, se levantó muy alto. Llegó a los fundamentos de las casas; y derruidas las casas, se anegaron en agua. Eso fue en la laguna que está junto a nosotros.

Sexto presagio funesto: muchas veces se oía: una mujer lloraba; iba gritando por la noche; andaba dando grandes gritos.

— ¡Hijitos míos, pues ya tenemos que irnos lejos!

Y a veces decía:

— Hijitos míos, ¿a dónde os llevaré? [5]

Séptimo presagio funesto: muchas veces se atrapaba, se cogía algo en redes. Los que trabajaban en el agua cogieron cierto pájaro ceniciento, como si fuera grulla. Luego lo llevaron a mostrar a Motecuhzoma, en la Casa de lo Negro [casa de estudio mágico].

Había llegado el sol a su apogeo: era el mediodía. Había uno como espejo en la mollera del pájaro, como rodaja de huso, en espiral y en rejuego: era como si estuviera perforado en su medianía.

Allí se veía el cielo: las estrellas, el Mastelejo. Y Motecuhzoma lo tuvo a muy mal presagio, cuando vio las estrellas y el Mastelejo.

Pero cuando vio por segunda vez la mollera del pájaro, nuevamente vio allá, en lontananza; como si algunas personas vinieran de prisa; bien estiradas; dando empellones. Se hacían la guerra unos a otros, y los traían a cuestas unos como venados.

[5] El texto parece referirse a Cihuacóatl, que gritaba y lloraba por la noche. Es éste uno de los antecedentes de la célebre "Llorona".

Al momento llamó a sus magos, a sus sabios. Les dijo:

— ¿No sabéis: qué es lo que he visto? ¡Unas como personas que están en pie y agitándose! ...

Pero ellos, queriendo dar la respuesta, se pusieron a ver: despareció [todo]: nada vieron.

Octavo presagio funesto: muchas veces se mostraban a la gente hombres deformes, personas monstruosas. De dos cabezas, pero un solo cuerpo. Las llevaban a la Casa de lo Negro; se las mostraba a Motecuhzoma. Cuando las había visto, luego desaparecían.[6]

3. PRIMERAS NOTICIAS DE LA LLEGADA DE LOS FORASTEROS

Y cuando fueron vistos los que vinieron por mar, en barcas van viniendo.

Luego son enviadas personas: el huasteco Pínotl, gran mayordomo. El mayordomo de Mictlancuauhtla, Yaotzin. En tercer lugar, el mayordomo de Teuciniyocan, llamado el de Teuciniyocan. En cuarto lugar, Cuitlapíltoc; no más un guía, que andaba con los otros. En quinto lugar, Téntitl; también no más un guía.

Éstos no más fueron a explorarlo. Fueron bajo el pretexto de que iban a comerciar. Iban a tratar con maña, a ver qué clase de gente era, haciendo el truco de vender mantas ricas, cosas bien acabadas, no más, como quien dice, las que usaba Mocthecuzoma.

Éstas nadie se las viste: no más son cosa de exclusivo uso, su atributo personal del mismo rey.

[6] Informantes de Sahagún, *Códice Florentino,* libro XII. cap. I. (Versión del náhuatl de Ángel Ma. Garibay K.)

Fueron en barca para poder verlos. Cuando tal hicieron, dijo el Pínotl:

—¡No vayamos a dar noticias falsas al señor Motecuhzoma: ya no tendríais vida...! Vamos, pues, nosotros. No demos ocasión de muerte. Que él rectamente oiga todo lo que le llevemos.

[Motecuhzomatzin es el nombre de real mando, y su nombre de gobierno es Tlacatecuhtli "señor de los hombres".]

Al momento ya van por agua. Se metieron a las barcas. Se echaron a alta mar. Los remeros fueron remando.

Y cuando estuvieron cerca de los hombres de Castilla, al momento frente a ellos hicieron la ceremonia de tocar la tierra y los labios, estando a la punta de su barca. Tuvieron la opinión de que era Nuestro Príncipe Quetzalcóatl que había venido.

Los españoles los llamaron, les dijeron:

—¿Quiénes sois? ¿De dónde venís? ¿Dónde es vuestra casa?

Al momento les dijeron:

—De México es de donde hemos venido.

Aquellos dijeron:

—Si en verdad sois mexicanos, ¿qué nombre es el del rey de México?

—Señores nuestros: su nombre es Motecuhzoma.

Luego les dan las diversas clases de mantas ricas que habían traído. Tales cuales aquí se mencionan: Una con un sol, otra con flecos azules, otra con tazas labradas, o con pintura color de águila, con una cara de serpiente, con el joyel propio del dios Ehécatl, con color de sangre de pavo, o con remolinos de agua labrados, o con espejos humeantes. Todos estos géneros de mantas finas les fueron dando.

Fueron agraciados con dones de retorno: los hombres

de Castilla les dieron: collares verdes, amarillos, como que quieren parecerse al cristal de roca. Y cuando los recibieron, cuando los vieron, mucho se maravillaron.

Y los hombres de Castilla les declararon, les dijeron:

— Váyanse: ahora nosotros ya nos iremos a Castilla. No hemos de tardar: ahora vamos a llegar a México.

Luego se fueron. También vinieron acá los enviados, regresaron. Y cuando llegaron a tierra seca, inmediatamente se fueron derecho a México.

Día y noche vinieron caminando para comunicar a Motecuhzoma, para decirle y darle a saber con verdad lo que él pudiera saber.

Los bienes que habían logrado los vinieron trayendo. Y luego le comunicaron:

— ¡Señor nuestro, hijo mío, acaba con nosotros! He aquí lo que hemos visto, he aquí lo que hemos hecho:

Allí donde para ti mantienen vigilancia de las cosas tus abuelos, en la superficie del mar, fuimos a ver a nuestros señores los dioses, dentro del agua.

Allá les dimos todas tus mantas: he aquí los obsequios suyos: nos los dieron. Dijeron:

Si en verdad habéis venido de México, he aquí lo que daréis al rey Motecuhzoma: con esto nos conocerá.

Le dijeron todo a Motecuhzoma, como lo habían dicho a ellos dentro del agua.

Pues Motecuhzoma les dijo:

— Os habéis cansado, os habéis fatigado: descansad. Eso lo veo en el secreto. Nadie dirá cosa alguna, nadie abrirá los labios, nadie chistará cosa alguna; nadie lo publique, nadie lo ponga en sus labios. No más quede dentro de vosotros.[7]

---

[7] Informantes indígenas de Sahagún, *Códice Florentino*, libro VI, cap. II. (Versión de Ángel Ma. Garibay K.)

4. LA ANGUSTIA DE MOTECUHZOMA
Y DEL PUEBLO EN GENERAL

Ahora bien, Motecuhzoma cavilaba en aquellas cosas, estaba preocupado; lleno de terror, de miedo: cavilaba qué iba a acontecer con la ciudad. Y todo el mundo estaba muy temeroso. Había gran espanto y había terror. Se discutían las cosas, se hablaba de lo sucedido.

Hay juntas, hay discusiones, se forman corrillos, hay llanto, se hace largo llanto, se llora por los otros. Van con la cabeza caída, andan cabizbajos. Entre llanto se saludan; se lloran unos a otros al saludarse. Hay intento de animar a la gente, se reaniman unos a otros. Hacen caricias a otros, los niños son acariciados.

Los padres de familia dicen:

— ¡Ay, hijitos míos! ... ¿Qué pasará con vosotros? ¡Oh, en vosotros sucedió lo que va a suceder! ...

Y las madres de familia dicen:

— ¡Hijitos míos! ¿Cómo podréis vosotros ver con asombro lo que va a venir sobre vosotros?

También se dijo, se puso ante los ojos, se le hizo saber a Motecuhzoma, se le comunicó y se le dio a oír, para que en su corazón quedara bien puesto:

Una mujer, de nosotros los de aquí, los viene acompañando, viene hablando en lengua náhuatl. Su nombre, Malintzin; su casa, Tetícpac. Allá en la costa primeramente la cogieron ...

Por este tiempo también fue cuando ellos (la gente de Castilla), hacían con instancia preguntas tocante a Motecuhzoma: cómo era, si acaso muchacho, si acaso hombre maduro, si acaso viejo. Si aún tenía vigor, o si ya tenía sentido de viejo, si acaso ya era un hombre anciano, si tenía cabeza blanca.

Y les respondían a los "dioses", a la gente de Castilla:

— Es hombre maduro; no grueso, sino delgado, un poco enjuto; no más cenceño, de fino cuerpo.

Motecuhzoma piensa en huir

Pues cuando oía Motecuhzoma que mucho se indagaba sobre él, que se escudriñaba su persona, que los "dioses" mucho deseaban verle la cara, como que se le apretaba el corazón, se llenaba de grande angustia. Estaba para huir, tenía deseos de huir; anhelaba esconderse huyendo, estaba para huir. Intentaba esconderse, ansiaba esconderse. Se les quería esconder, se les quería escabullir a los "dioses".

Y pensaba y tuvo el pensamiento; proyectaba y tuvo el proyecto; planeaba y tuvo el plan; meditaba y andaba meditando en irse a meter al interior de alguna cueva.

Y a algunos de aquellos en quienes tenía puesto el corazón, en quienes el corazón estaba firme, en quienes tenía gran confianza, los hacía sabedores de ello. Ellos le decían:

— "Se sabe el lugar de los muertos, la Casa del Sol, y la Tierra de Tláloc, y la Casa de Cintlí. Allá habrá que ir. En donde sea tu buena voluntad."

Por su parte él tenía su deseo: deseaba ir a la Casa de Cintli [templo de la diosa del maíz].

Así se pudo saber, así se divulgó entre la gente.

Pero esto no lo pudo. No pudo ocultarse, no pudo esconderse. Ya no estaba válido, ya no estaba ardoroso; ya nada se pudo hacer.

La palabra de los encantadores con que habían trastornado su corazón, con que se lo había desgarrado, se lo habían hecho estar como girando, se lo habían dejado lacio y decaído, lo tenía totalmente incierto e inseguro por saber [si podría ocultarse] allá donde se ha mencionado.

No hizo más que esperarlos. No hizo más que resolverlo en su corazón, no hizo más que resignarse; dominó finalmente su corazón, se recomió en su interior, lo dejó en disposición de ver y de admirar lo que habría de suceder.[8]

5. EL ENCUENTRO DE CORTÉS Y MOTECUHZOMA

Después de haber pasado los españoles por los señoríos tlaxcaltecas, que desde ese momento se convirtieron en sus aliados debido al odio que profesaban a los aztecas, Cortés inició su marcha hacia el Valle de México. A su paso por Cholula tuvo lugar la matanza de que hablan numerosas fuentes.

Por fin, el 8 de noviembre de 1519, los hombres de Castilla, después de cruzar los volcanes, hicieron su primera entrada en México-Tenochtitlan. Llegaron por la calzada de Iztapalapa que unía a la ciudad con la ribera del lago por el sur. Veamos el testimonio indígena.

Así las cosas, llegaron [los españoles] hasta Xoloco.[9] Allí llegan a su término, allí está la meta.

En este tiempo se adereza, se engalana Motecuhzoma para ir a darles el encuentro. También los demás grandes príncipes, los nobles, sus magnates, sus caballeros. Ya van todos a dar el encuentro a los que llegan.

En grandes bateas han colocado flores de las finas: la flor del escudo, la del corazón; en medio se yergue

[8] Informantes de Sahagún, *Códice Florentino*, libro XII, cap. IX. (Versión de Ángel Ma. Garibay K.)

[9] Xoloco: "en la bifurcación". Sitio donde se bifurcaba la calzada que conducía a México.

la flor de buen aroma, y la amarilla fragante, la valiosa. Son guirnaldas, son travesaños para el pecho.

También van portando collares de oro, collares de cuentas colgantes gruesas, collares de tejido de petatillo.

Pues allí en Huitzillan les sale al encuentro Motecuhzoma. Luego hace dones al capitán, al que rige la gente, y a los que vienen a guerrear. Los regala con dones, les pone flores en el cuello, les da collares de flores y sartales de flores para cruzarse el pecho, les pone en la cabeza guirnaldas de flores.

Pone en seguida delante los collares de oro, todo género de dones, de obsequios de bienvenida.

Diálogo de Motecuhzoma y Cortés

Cuando él hubo terminado de dar collares a cada uno, dijo Cortés a Motecuhzoma:

— ¿Acaso eres tú? ¿Es que ya tú eres? ¿Es verdad que eres tú Motecuhzoma?

Le dijo Motecuhzoma:

— Sí, yo soy.

Inmediatamente se pone en pie, se para para recibirlo, se acerca a él y se inclina, cuanto puede dobla la cabeza; así lo arenga, le dijo: [10]

"Señor nuestro: te has fatigado, te has dado cansancio: ya a la tierra tú has llegado. Has arribado a tu ciudad: México. Aquí has venido a sentarte en tu solio, en tu trono. Oh, por tiempo breve te lo reservaron, te lo conservaron, los que ya se fueron, tus sustitutos.

Los señores reyes, Itzcoatzin, Motecuhzomatzin el viejo, Axayácac, Tízoc, Ahuítzotl. Oh, qué breve tiempo tan sólo guardaron para ti, dominaron la ciudad de

[10] Las palabras de Motecuhzoma parecen implicar que éste cree ver aún a Quetzalcóatl en la figura de Hernán Cortés.

México. Bajo su espalda, bajo su abrigo estaba metido el pueblo bajo.

¿Han de ver ellos y sabrán acaso de los que dejaron, de sus pósteros?

¡Ojalá uno de ellos estuviera viendo; viera con asombro lo que yo ahora veo venir en mí!

Lo que yo veo ahora: yo el residuo, el superviviente de nuestros señores.

No, no es que yo sueño, no me levanto del sueño adormilado: no lo veo en sueños, no estoy soñando...

¡Es que ya te he visto, es que ya te he puesto mis ojos en tu rostro!

Ha cinco, ha diez días yo estaba angustiado: tenía fija la mirada en la Región del Misterio.

Y tú has venido entre nubes, entre nieblas.

Como que esto era lo que nos habían dejado dicho los reyes, los que rigieron, los que gobernaron tu ciudad:

Que habrías de instalarte en tu asiento, en tu sitial, que habrías de venir acá...

Pues ahora, se ha realizado: ya tú llegaste, con gran fatiga, con afán viniste.

Llega a la tierra: ven y descansa; toma posesión de tus casas reales; da refrigerio a tu cuerpo.

¡Llegad a vuestra tierra, señores nuestros!"

Cuando hubo terminado la arenga de Motecuhzoma: la oyó el marqués, se la tradujo Malintzin, se la dio a entender.

Y cuando hubo percibido el sentido del discurso de Motecuhzoma, luego le dio respuesta por boca de Malintzin. Le dijo en lengua extraña; le dijo en lengua salvaje:

—Tenga confianza Motecuhzoma, que nada tema. Nosotros mucho lo amamos. Bien satisfecho está hoy nuestro corazón. Le vemos la cara, lo oímos. Hace ya mucho tiempo que deseábamos verlo.

Y dijo esto más:

—Ya vimos, ya llegamos a su casa en México; de este modo, pues, ya podrá oír nuestras palabras, con toda calma.

Luego lo cogieron de la mano, con lo que lo fueron acompañando. Le dan palmadas al dorso, con que le manifiestan su cariño...[11]

6. LA MATANZA DEL TEMPLO MAYOR

Establecidos ya los hombres de Castilla en México-Tenochtitlan, Motecuhzoma se convirtió en prisionero de Cortés. Éste tuvo que ausentarse de la ciudad para ir a combatir con Pánfilo de Narváez, quien venía a quitarle el mando por orden de Diego Velázquez, Gobernador de Cuba. Alvarado aprovechó entonces la fiesta de Tóxcatl, en la que se reunía el pueblo en el recinto del templo mayor, para atacar alevosamente a los indígenas.

Pues así las cosas, mientras se está gozando de la fiesta ya es el baile, ya es el canto, ya se enlaza un canto con otro, y los cantos son como un estruendo de olas, en ese preciso momento los hombres de Castilla toman la determinación de matar a la gente. Luego vienen hacia acá, todos vienen en armas de guerra.

Vienen a cerrar las salidas, los pasos, las entradas: La Entrada del Águila, en el palacio menor; la del Ácatl iyacapan [Punta de la Caña], la de Tezcacóac [Serpiente de espejos]. Y luego que hubieron cerrado, en todas ellas se apostaron: ya nadie pudo salir.

Dispuestas así las cosas, inmediatamente entran al

[11] Informantes de Sahagún, *Códice Florentino,* libro XII, cap. XVI. (Versión de Ángel Ma. Garibay K.)

Patio Sagrado para matar a la gente. Van a pie, llevan sus escudos de madera, y algunos los llevan de metal y sus espadas.

Inmediatamente cercan a los que bailan, se lanzan al lugar de los atabales: dieron un tajo al que estaba tañendo: le cortaron ambos brazos. Luego lo decapitaron: lejos fue a caer su cabeza cercenada.

Al momento todos acuchillan, alancean a la gente y les dan tajos, con las espadas los hieren. A algunos les acometieron por detrás; inmediatamente cayeron por tierra dispersas sus entrañas. A otros les desgarraron la cabeza; les rebanaron la cabeza, enteramente hecha trizas quedó su cabeza.

Pero a otros les dieron tajos en los hombros: hechos grietas, desgarrados quedaron sus cuerpos. A aquéllos hieren en los muslos, a éstos en las pantorrillas, a los de más allá en pleno abdomen. Todas las entrañas cayeron por tierra. Y había algunos que aún en vano corrían: iban arrastrando los intestinos y parecían enredarse los pies en ellos. Anhelosos de ponerse en salvo, no hallaban a donde dirigirse.

Pues algunos intentaban salir: allí en la entrada los herían, los apuñalaban. Otros escalaban los muros; pero no pudieron salvarse. Otros se metieron en la casa común: allí sí se pusieron en salvo. Otros se entremetieron entre los muertos, se fingieron muertos para escapar. Aparentando ser muertos, se salvaron. Pero si entonces alguno se ponía en pie, lo veían y lo acuchillaban.

La sangre de los guerreros cual si fuera agua corría: como agua que se ha encharcado, y el hedor de la sangre se alzaba al aire, y de las entrañas que parecían arrastrarse.

Y los españoles andaban por doquiera en busca de las casas de la comunidad: por doquiera lanzaban estocadas, buscaban cosas: por si alguno estaba oculto allí;

por doquiera anduvieron, todo lo escudriñaron. En las casas comunales por todas partes rebuscaron.

La reacción de los mexicanos

Y cuando se supo fuera, empezó una gritería:

— ¡Capitanes, mexicanos... venid acá! ¡Que todos armados vengan: sus insignias, escudos, dardos!... ¡Venid acá de prisa, corred: muertos son los capitanes, han muerto nuestros guerreros!... ¡Han sido aniquilados, oh capitanes mexicanos!

Entonces se oyó el estruendo, se alzaron gritos, y el ulular de la gente que se golpeaba los labios. Al momento fue el agruparse, todos los capitanes, cual si hubieran sido citados: traen sus dardos, sus escudos.

Entonces la batalla empieza: dardean con venablos, con saetas y aun con jabalinas, con arpones de cazar aves. Y sus jabalinas furiosos y apresurados lanzan. Cual si fuera capa amarilla, las cañas sobre los españoles se tienden.

La gente de Castilla se refugia en las casas reales

Por su parte la gente de Castilla inmediatamente se acuarteló. Y ellos también comenzaron a flechar a los mexicanos, con sus dardos de hierro. Y dispararon el cañón y el arcabuz.

Inmediatamente echaron grillos a Motecuhzoma.

Los capitanes mexicanos fueron sacados uno en pos de otro, de los que habían sucumbido en la matanza. Eran llevados, eran sacados, se hacían pesquisas para reconocer quién era cada uno.

El llanto por los muertos

Y los padres y las madres de familia alzaban el llanto. Fueron llorados, se hizo la lamentación de los muertos.

A cada uno lo llevan a su casa, pero después los trajeron al Patio Sagrado: allí reunieron a los muertos; allí a todos juntos los quemaron, en un sitio definido, el que se nombra Cuauhxicalco [Urna del Águila]. Pero a otros los quemaron en la Casa de los Jóvenes.[12]

7. EL TEXTO ANÓNIMO DE TLATELOLCO

Esta relación de la Conquista, redactada en lengua náhuatl hacia 1528 por autores anónimos del vecino Tlatelolco, da principio también con la llegada de los españoles por las costas del Golfo. Aquí se transcribe la mayor parte de ella, desde el momento en que se refiere la huida de los españoles después de la ya descrita matanza del templo mayor.

La noche triste

En consecuencia luego salieron de noche. En la fiesta de Tecuílhuitl salieron; fue cuando murieron en el Canal de los Toltecas. Allí furiosamente los atacamos.

Cuando de noche salieron, primero fueron a reconcentrarse en Mazatzintamalco. Allí fue la espera de unos a otros cuando salieron de noche.

Año 2-Pedernal. Fue cuando murió Motecuhzoma; también en el mismo tiempo murió el Tlacochcálcatl de Tlatelolco, Itzcohuatzin.

Cuando se fueron [los españoles], fueron a asentarse en Acueco. Los echaron de allí. Fueron a situarse en Teuhcalhueyacan. Se fueron para Zoltépec. De allí partieron, fueron a situarse en Tepotzotlan. De allí se fue-

---

[12] Informantes de Sahagún, *Códice Florentino*, libro XII, cap. XX. (Versión de Ángel Ma. Garibay K.)

ron, fueron a situarse en Citlaltépec; de allí fueron a
establecerse en Temazcalpan. Allí los salieron a encontrar: les dieron gallinas, huevos, maíz en grano. Allí tomaron resuello.

Ya se fueron a meter en Tlaxcala.

Entonces se difundió la epidemia: tos, granos ardien-
tes, que queman.

El regreso de los españoles

Cuando ha pasado un poco la epidemia, ya se ponen
en marcha. Van a salir a Tepeyácac, fue el primer lugar que conquistan.

Se van de allí: cuando es la fiesta de Tomar la be-
bida [Tlahuano], van a salir a Tlapechuan. Es la fiesta
de Izcalli.

A los doscientos días vinieron a salir, se vinieron a
situar en Tetzcoco. Estuvieron allí cuarenta días.

Luego ya vienen, de nuevo vienen en seguimiento de
Citlaltépec. A Tlacopan. Allí se establecen en el Palacio.

Y también se metieron acá los de Chiconauhtla, Xaltocan, Cuauhtitlan, Tenayucan, Azcapotzalco, Tlacopan, Coyoacan.

Por siete días no están combatiendo.

Estaban solamente en Tlacopan. Pero luego de nuevo
retroceden. No más se van todos juntos y por allá van
a salir, para establecerse en Tetzcoco.

Ochenta días y otra vez van a salir a Huaxtépec,
Cuauhnáhuac [Cuernavaca]. De allá bajaron a Xochimilco. Allí murió gente de Tlatelolco. Otra vez salió
[el español] de allí; vino a Tetzcoco, allí también a situarse. También en Tlaliztacapa murieron gentes de
Tlatelolco.

Cuando él se fue a situar a Tetzcoco fue cuando comenzaron a matarse unos con otros los de Tenochtitlan.

En el año 3-Casa mataron a sus príncipes el Cihua-cóatl Tzihuacpopocatzin y a Cicpatzin Tecuecuenotzin. Mataron también a los hijos de Motecuhzoma, Axayaca y Xoxopehuáloc.

Esto más: se pusieron a pleitear unos con otros y se mataron unos a otros. Esta es la razón por la que fueron muertos estos principales: movían, trataban de convencer al pueblo para que se juntara maíz blanco, gallinas; huevos para que dieran tributo a aquéllos [a los hombres de Castilla].

Fueron sacerdotes, capitanes, hermanos mayores los que hicieron estas muertes. Pero los principales jefes se enojaron porque habían sido muertos aquellos principales.

Dijeron los asesinos:

— ¿Es que nosotros hemos venido a hacer matanzas? Últimamente, hace sesenta días que hubo muertos a nuestro lado... ¡Con nosotros se puso en obra la fiesta de Tóxcatl!... [La matanza del templo mayor].

El asedio de Tenochtitlan

Ya se ponen en pie de guerra, ya van a darnos batalla [los españoles]. Por espacio de diez días nos combaten y es cuando vienen a aparecer sus naves. A los veinte días van a colocar sus naves por Nonohualco, en el punto llamado Mazatzintamalco.

Cuando sus naves llegaron acá, llegaron por el rumbo de Iztacalco. Entonces se sometió a ellos el habitante de Iztacalco. También de allá se dirigieron acá. Luego se fueron a situar las naves en Acachinanco.

También desde luego hicieron sus casas de estacamento los de Huexotzinco y Tlaxcala a un lado y otro del camino. También dispersan sus barcos los de Tla-

telolco. Éstos están en sus barcas en el camino de Nonohualco, en Mazatzintamalco están sus barcas.

Pero en Xohuiltitlan y en Tepeyácac nadie tiene barcas. Los únicos que estábamos en vigilancia del camino
somos los de Tlatelolco cuando aquéllos llegaron con sus
barcas. Al día siguiente las fueron a dejar a Xoloco.

Por dos días hay combate en Huitzilan. Fue cuando se
mataron unos a otros los de Tenochtitlan. Se dijeron:

— ¿Dónde están nuestros jefes? ¿Tal vez una sola
vez han venido a disparar? ¿Acaso han hecho acciones
de varones?

Apresuradamente vinieron a coger a cuatro: por delante iban los que los mataron. Mataron a Cuauhnoch-
tli, capitán de Tlacatecco, a Cuapan, capitán de Huitznáhuac, al sacerdote de Amantlan, y al sacerdote de
Tlalocan. De modo tal, por segunda vez, se hicieron
daño a sí mismos los de Tenochtitlan al matarse unos
a otros.

Los españoles vinieron a colocar dos cañones enmedio del camino de Tecamman mirando hacia acá. Cuando dispararon los cañones la bala fue a caer en la Puerta
del Águila.

Entonces se pusieron en movimiento juntos los de
Tenochtitlan. Tomaron en brazos a Huitzilopochtli, lo
vinieron a meter en Tlatelolco, lo vinieron a depositar
en la Casa de los Muchachos [Telpochcalli], que está
en Amáxac. Y su rey vino a establecerse a Acacolco. Era
Cuauhtemoctzin.[13]

La gente se refugia en Tlatelolco

Y eso bastó; los del pueblo bajo en esta ocasión dejaron su ciudad de Tenochtitlan para venir a meterse

[13] Cuauhtemoctzin, forma reverencial para designar al joven
señor Cuauhtémoc.

a Tlatelolco. Vinieron a refugiarse en nuestras casas. Inmediatamente se instalaron por todas partes en nuestras casas, en nuestras azoteas.

Gritan sus jefes, sus principales y dicen:

— Señores nuestros, mexicanos, tlatelolcas ...

Un poco nos queda ... No hacemos más que guardar nuestras casas.

No se han de adueñar de los almacenes, del producto de nuestra tierra.

Aquí está nuestro sustento, el sostén de la vida, el maíz.

Lo que para vosotros guardaba vuestro rey: escudos insignias de guerra, rodelas ligeras, colgajos de pluma, orejeras de oro, piedras finas. Puesto que todo esto es vuestro, propiedad vuestra.

No os desaniméis, no perdáis el espíritu. ¿A dónde hemos de ir?

¡Mexicanos somos, tlatelolcas somos!

Inmediatamente tomaron de prisa todas las cosas los que mandan acá, cuando ellos vinieron a entregar las insignias, sus objetos de oro, sus objetos de pluma de quetzal.

Y éstos son los que andan gritando por los caminos y entre las casas y en el mercado:

Xipánoc, Teltlyaco, el vice-Cihuacóatl, Motelchiuh, cuando era de Huiznáhuatl, Zóchitl, el de Acolnáhuac, el de Anáhuac, el Tlacochcálcatl, Itzpotonqui, Ezhuahuácatl, Coaíhuitl, que se dio a conocer como jefe de Tezcacóac. Huánitl, que era Mixcoatlailótlac; el intendente de los templos, Téntil. Estos eran los que anduvieron gritando, como se dijo, cuando se vinieron a meter a Tlatelolco.

Y aquí están los que lo oyeron:

Los de Coyoacan, de Cuauhtitlan, de Tultitlan, de Chicunauhtla, Coanacotzin, el de Tetzcoco, Cuitláhuac, el de Tepechpan, Itzyoca. Todos los señores de estos rumbos oyeron el discurso dicho por los de Tenochtitlan.

Y todo el tiempo en que estuvimos combatiendo, en ninguna parte se dejó ver el tenochca; en todos los caminos de aquí: Yacacolco, Atezcapan, Coatlan, Nonohualco, Xoxohuitlan, Tepeyácac, en todas estas partes fue obra exclusiva nuestra, se hizo por los tlatelolcas. De igual modo, los canales también fue obra nuestra exclusiva.[14]

Ahora bien, los capitanes tenochcas allí [en su refugio de Tlatelolco], se cortaron el cabello, y los de menor grado, también allí se lo cortaron, y los cuachiques, y los otomíes,[15] de grado militar, que suelen traer puesto su casco de plumas, ya no se vieron en esta forma, durante todo el tiempo que estuvimos combatiendo.

Por su parte, los de Tlatelolco rodearon a los principales de aquellos y sus mujeres todas los llenaron de oprobio y los apenaron diciéndoles:

— ¿No más estáis allí parados?... ¿No os da vergüenza? ¡No habrá mujer que en tiempo alguno se pinte la cara para vosotros!...

Y las mujeres de ellos andaban llorando y pidiendo favor en Tlatelolco.

Y cuando ven todo esto los de esta ciudad alzan la voz, pero ya no se ven por ninguna parte los tenochcas.

De parte de los tlatelolcas, pereció lo mismo el cuáchic que el otomí y el capitán. Murieron a obra de cañón, o de arcabuz.

[14] Nótese el constante empeño de los mexica-tlatelolcas por mencionar su valentía y sus proezas en la defensa de la ciudad, reprochando con frecuencia a los mexica-tenochcas. Como una explicación de esto puede recordarse el antiguo resentimiento de los tlatelolcas, vencidos y sometidos por los tenochcas, desde los tiempos del rey Axayácatl.

[15] Cuachiques y otomíes, grados militares entre los mexicanos.

En este tiempo viene una embajada del rey de Acolhuacan, Tecocoltzin. Los que vienen a conferenciar en Tlatelolco son:

Tecucyahuácatl, Topantemoctzin, Tezcacohuácatl, Quiyotecatzin, el Tlacatéccatl Temilotzin, el Tlacochcálcatl Coyohuehuetzin y el Tziuhtecpanécatl Matlalacatzin.

Dicen los enviados del rey de Acolhuacan, Tecocoltzin:

— Nos envía acá el señor, el de Acolhuacan, Tecocoltzin. Dice esto:

"Oigan por favor los mexicanos tlatelolcas:

Arde, se calcina su corazón y su cuerpo está doliente.

De igual modo a mí me arde y se calcina mi corazón.

¿Qué es lo poquito que yo tengo? De mi fardo, el hueco de mi manto, por dondequiera cogen: me lo van quitando. Se hizo, se acabó el habitante de este pueblo."

Pues digo:

"Que por su sola voluntad lo disponga el tenochca: que por su propio gusto perezca: nada ya haré en su favor, ya no esperaré en su palabra.

¿Qué dirá? ¿Cómo dispondréis los poquitos días? Es todo: que oigan mis palabras."

Ya le retornan el discurso los señores de Tlatelolco, le dicen:

— Nos haces honor, oh tú capitán, hermano mío:

¿Pues qué, es acaso nuestra madre y nuestro padre el chichimeca habitante de Acolhuacan?

Pues aquí está: lo oyen: sesenta días van de que tiene intención de que se haga como él lo ha dicho. Y ahora no más lo ha visto: totalmente se destruyen, no más dan gritos: pues unos se conservan como gente de Cuauhtitlan, otros como de Tenayucan, de Azcapotzalco, o de Coyoacan se hacen pasar.

49

No más esto veo: y es que ellos gritan que son tla-telolcas. ¿Cómo lo haré?

¡Se ha satisfecho su corazón, ha tenido el gusto de hacerlo, le han salido bien, le vino como deslizado!...
¡Ah, ya estamos haciendo el mandato y la disposición de nuestro señor! ¡Hace sesenta días que estamos combatiendo!...

Los tlatelolcas son invitados a pactar

Vino a amedrentarlos de parte de los españoles, a dar gritos el llamado Castañeda, en donde se nombra Yauhtenco vino a dar gritos. Lo acompañan tlaxcaltecas, ya dan gritos a los que están en atalaya de guerra junto al muro en agua azul. Son el llamado Itzpalanqui, capitán de Chapultepec, dos de Tlapala, y Cuexacaltzin.

Viene a decirles:

— ¡Vengan acá algunos!

Y ellos se dicen:

— ¿Qué querrá decir? Vayamos a oírlo.

Luego se colocan en una barca y desde lejos dispuestos le dicen a aquél:

— ¿Qué es lo que queréis decir?

Ya dicen los tlaxcaltecas:

— ¿Dónde es vuestra casa?

Dicen:

— Está bien: sois los que son buscados. Venid acá, os llama el "dios", el capitán.

Entonces salieron, van con él a Nonohualco, a la Casa de la Niebla en donde están el capitán y Malintzin y "El Sol" [Alvarado] y Sandoval. Allí están reunidos los señores del pueblo, hay parlamento, dicen al capitán:

— Vinieron los tlatelolcas, los hemos ido a traer.

Dijo Malintzin a ellos:

"Venid acá: dice el capitán:

¿Qué piensan los mexicanos? ¿Es un chiquillo Cuauhtémoc?

¿Qué no tienen compasión de los niñitos, de las mujeres?

¿Es así como han de perecer los viejos?

Pues están aquí conmigo los reyes de Tlaxcala, Huexotzinco, Cholula, Chalco, Acolhuacan, Cuauhnáhuac, Xochimilco, Mizquic, Cuitláhuac, Culhuacan."

Ellos [varios de esos reyes] dijeron:

— ¿Acaso de las gentes se está burlando el tenochca? También su corazón sufre por el pueblo en que nació. Que dejen sólo al tenochca; que solo y por sí mismo... vaya pereciendo...

¿Se va a angustiar acaso el corazón del tlatelolca, porque de esta manera han perecido los mexicanos, de quienes él se burlaba?

Entonces dicen [los enviados tlotelolcas] a los señores:

— ¿No es acaso de este modo como lo decís, señores?

Dicen ellos [los reyes indígenas aliados de Cortés]:

— Sí. Así lo oiga nuestro señor el "dios": dejad solo al tenochca, que por sí solo perezca... ¿Allí está la palabra que vosotros tenéis de nuestros jefes?

Dijo el "dios" [Cortés]:

— Id a decir a Cuauhtémoc; que toman acuerdo, que dejan solo al tenochca. Yo me iré para Teucalhueyacan, como ellos hayan concertado allá me irán a decir sus palabras. Y en cuanto a las naves, las mudaré para Coyoacan.

Cuando lo oyeron, luego le dijeron [los tlatelolcas]:

— ¿Dónde hemos de coger a aquellos [a los tenochcas] que andan buscando? ¡Ya estamos al último respiro, que de una vez tomemos algún aliento!...

Y de esta misma manera se fueron a hablar con los

tenochcas. Allá con ellos se hizo junta. Desde las barcas no más se gritó. No era posible dejar solo al tenochca.[16]

Se reanuda la lucha

Así las cosas, finalmente, contra nosotros se disponen a atacar. Es la batalla. Luego llegaron a colocarse en Cuepopan y en Cozcacuahco. Se ponen en actividad con sus dardos de metal. Es la batalla con Coyohuehuetzin y cuatro más.

Por lo que hace a las naves de ellos, vienen a ponerse en Texopan. Tres días es la batalla allí. Vienen a echarnos de allí. Luego llegan al Patio Sagrado: cuatro días es la batalla allí.

Luego llegan hasta Yacacolco: es cuando llegaron acá los españoles, por el camino de Tlilhuacan.

Y esto fue todo. Habitantes de la ciudad murieron dos mil hombres exclusivamente de Tlatelolco. Fue cuando hicimos los de Tlatelolco armazones de "hileras de cráneos" [tzompantli]. En tres sitios estaban colocados estos armazones. En el que está en el Patio Sagrado de Tlilancalco [casa negra]. Es donde están ensartados los cráneos de nuestros señores [españoles].

En el segundo lugar, que es Acacolco también están ensartados cráneos de nuestros señores y dos cráneos de caballo.

En el tercer lugar que es Zacatla, frente al templo de la diosa [Cihuacóatl], hay exclusivamente cráneos de tlatelolcas.

Y así las cosas, vinieron a hacernos evacuar. Vinieron a estacionarse en el mercado.

Fue cuando quedó vencido el tlatelolca, el gran tigre,

[16] A pesar de los esfuerzos de Cortés por dividir a los mexicanos-tlatelolcas y a los mexicanos-tenochcas, los primeros deciden mantener su lealtad.

el gran águila, el gran guerrero. Con esto dio su final conclusión la batalla.

Fue cuando también lucharon y batallaron las mujeres de Tlatelolco lanzando sus dardos. Dieron golpes a los invasores; llevaban puestas insignias de guerra; las tenían puestas. Sus faldellines llevaban arremangados, los alzaron para arriba de sus piernas para poder perseguir a los enemigos.

Fue también cuando le hicieron un doselete con mantas al capitán allí en el mercado, sobre un templete. Y fue cuando colocaron la catapulta aquí en el templete. En el mercado la batalla fue por cinco días.

Descripción épica de la ciudad sitiada

Y todo esto pasó con nosotros. Nosotros lo vimos, nosotros lo admiramos: con esta lamentosa y triste suerte nos vimos angustiados.

En los caminos yacen dardos rotos;
los cabellos están esparcidos.
Destechadas están las casas,
enrojecidos tienen sus muros.
Gusanos pululan por calles y plazas,
y están las paredes manchadas de sesos.
Rojas están las aguas, cual si las hubieran teñido,
y si las bebíamos, eran agua de salitre.
Golpeábamos los muros de adobe en nuestra ansiedad
y nos quedaba por herencia una red de agujeros.
En los escudos estuvo nuestro resguardo,
pero los escudos no detienen la desolación.
Hemos comido panes de colorín,
hemos masticado grama salitrosa,
pedazos de adobe, lagartijas, ratones,
y tierra hecha polvo y aun los gusanos.

Comimos la carne apenas sobre el fuego estaba puesta. Cuando estaba cocida la carne, de allí la arrebataban, en el fuego mismo la comían.

Se nos puso precio. Precio del joven, del sacerdote, del niño y de la doncella. Basta: de un pobre era el precio sólo dos puñados de maíz, sólo diez tortas de mosco; sólo era nuestro precio veinte tortas de grama salitrosa.

Oro, jades, mantas ricas, plumajes de quetzal, todo eso que es precioso, en nada fue estimado.

Solamente se echó fuera del mercado a la gente cuando allí se colocó la catapulta.

Ahora bien, a Cuauhtémoc le llevaban los cautivos. No quedan así. Los que llevan a los cautivos son los capitanes de Tlacatecco. De un lado y de otro les abren el vientre. Les abría el vientre Cuauhtemoctzin en persona y por sí mismo.

El mensaje del Acolnahuácatl Xóchitl

Fue en este tiempo cuando vinieron a traer [los españoles] al Acolnahuácatl Xóchitl, que tenía su casa en Tenochtitlan. Murió en la guerra. Por veinte días lo habían andado trayendo con ellos. Vinieron a dejarlo en el mercado de Tlatelolco. Allí las flechas lo cazaron.

Cuando lo vinieron a dejar fue así: lo venían trayendo de ambos lados cogido. Traían también una ballesta, un cañón, que vienen a colocar en el lugar donde se vende el incienso. Allí dieron gritos.

Luego van los de Tlatelolco, van a recogerlo. Va guiando a la gente el capitán de Huitznáhuac, un huasteco.

Cuando hubieron recogido a Xóchitl viene a dar cuenta a [Cuauhtémoc] el capitán de Huitznáhuac, viene a decirle:

— Trae un recado Xóchitl.

Y Cuauhtémoc conferenció con Topantémoc:

— Tú irás a parlamentar con el capitán [con Cortés].

Durante el tiempo en que fueron a dejar a Xóchitl, descansó el escudo, ya no hubo combates, ya no se cogía prisionero a nadie.

Luego llevan a Xóchitl, lo vienen a poner en el templo de la Mujer [Cihuacóatl], en Axocotzinco.

Cuando lo han colocado allí, luego Topantemoctzin, Coyohuehuetzin y Temolitzin dicen a Cuauhtémoc:

— Príncipe mío: [los españoles] han venido a dejar a uno de los magistrados, Xóchitl, el de Acolnahuácatl. Dizque te ha de dar su recado.

Respondió [Cuauhtémoc], luego dijo:

— ¿Y vosotros, qué decís?

Inmediatamente todos alzaron el grito y dijeron:

— Que lo traigan acá... ha venido a ser como nuestra paga. Ya hicimos agüeros con papel, ya hicimos agüeros con incienso. Que oiga solamente su mensaje el que lo ha ido a recoger.

Por tanto, inmediatamente va el capitán de Huitznáhuac, el huasteco, a ver cómo es el mensaje que viene a dejar Xóchitl.

El Acolnahuácatl Xóchitl dijo: os manda decir el "dios" capitán y Malintzin.

"Oigan, por favor, Cuauhtémoc, Coyohuehuetzin, Topantémoc:

¿No tienen compasión de los pobres, de los niñitos, de los viejitos, de las viejitas? ¡Ya todo acabó aquí! ¿Acaso todavía pueden las vanas palabras? ¡Todo está ya terminado!

¡Entreguen mujeres de color claro, maíz blanco, gallinas, huevos, tortillas blancas! Aún es esto posible. ¿Qué responden? ¡Es necesario que por su propia voluntad se someta el tenochca, o que por su propia voluntad perezca! ..."

Cuando hubo recibido el mensaje el capitán de Huitznáhuac, el huasteco, luego va a dar la palabra a los señores de Tlatelolco y allí al rey de los tenochcas, Cuauhtémoc. Y cuando oyeron el mensaje que les vino a comunicar el Acolnahuácatl Xóchitl, luego se ponen en deliberación los señores de Tlatelolco. Dicen:

— ¿Qué es lo que decís vosotros? ¿Qué determinación tomáis?

Dijo a esto el Tlacochcálcatl Coyohuehuetzin:

— Habladle al huasteco.

Se consulta a los agoreros

Y dice Cuauhtémoc [a los agoreros]:

— Venid por favor: ¿qué miráis, qué veis en vuestros libros?

Le dice el sacerdote, el sabedor de papeles, el que corta papeles.

— Príncipe mío: oíd lo que de verdad diremos:

Solamente cuatro días y habremos cumplido ochenta. Y acaso es disposición de Huitzilopochtli de que ya nada suceda. ¿Acaso a excusas de él tendréis que ver por vosotros? Dejemos que pasen estos cuatro para que se cumplan ochenta.

Y hecho esto, no se hizo caso. También de nueva cuenta empezó la batalla. De modo que solamente fue a presentarla, a dar comienzo a la guerra el capitán de Huitznáhuac, el huasteco.

Por fin de cuentas todos nos pusimos en movimiento hacia Amáxac. Hasta allá llegó la batalla. Luego fue la dispersión, no más por las cuestas están colocadas las gentes. El agua está llena de personas; los comienzos de los caminos están llenos de gente.

La ciudad vencida

Este fue el modo como feneció el mexicano, el tlatelolca. Dejó abandonada su ciudad. Allí en Amáxac fue donde estuvimos todos. Y ya no teníamos escudos, ya no teníamos macanas, y nada teníamos que comer, ya nada comimos. Y toda la noche llovió sobre nosotros.

Prisión de Cuauhtémoc

Ahora bien, cuando salieron del agua ya van Coyohuehuetzin, Topantemoctzin, Temilotzin y Cuauhtemoctzin. Llevaron a Cuauhtemoctzin a donde estaba el capitán, y don Pedro de Alvarado y doña Malintzin.

Y cuando aquellos fueron hechos prisioneros, fue cuando comenzó a salir la gente del pueblo a ver dónde iba a establecerse. Y al salir iba con andrajos, y las mujercitas llevaban las carnes de la cadera casi desnudas. Y por todos lados hacen rebusca los cristianos. Les abren las faldas, por todos lados les pasan la mano, por sus orejas, por sus senos, por sus cabellos.

Y esta fue la manera como salió el pueblo: por todos los rumbos se esparció; por todos los pueblos vecinos, se fue a meter a los rincones, a las orillas de las casas de los extraños.

En un año 3-Casa [1521], fue conquistada la ciudad. En la fecha en que nos esparcimos fue en Tlaxochimaco, un día 1-Serpiente.

Cuando nos hubimos dispersado los señores de Tlatelolco fueron a establecerse a Cuauhtitlan: son Topantemoctzin, el Tlacochcálcatl Coyohuehuetzin y Temilotzin.

El que era gran capitán, el que era gran varón solo por allá va saliendo y no lleva sino andrajos. De modo igual, las mujeres, solamente llevaban en sus cabezas trapos viejos, y con piezas de varios colores habían hecho sus camisas.

Por esta causa están afligidos los principales y de eso hablan unos con otros: ¡hemos perecido por segunda vez!

Un pobre hombre del pueblo que iba para arriba fue muerto en Otontlan de Acolhuacan traicioneramente. Por tanto, se ponen a deliberar unos con otros los del pueblo que tienen compasión de aquel pobre. Dicen:

—Vamos, vamos a rogar al capitán nuestro señor.

La orden de entregar el oro

En este tiempo se hace requisa de oro, se investiga a las personas, se les pregunta si acaso un poco de oro tienen, si lo escondieron en su escudo, o en sus insignias de guerra, si allí lo tuvieron guardado, o si acaso su bezote, su colgajo del labio, o su luneta de la nariz, o tal vez su dije pendiente, todo cuanto sea, luego ha de juntarse.

Y hecho así, se rejuntó todo cuanto se pudo descubrir. Luego lo viene a presentar uno de sus jefes, Cuezacaltzin de Tlapala, Huitziltzin, de Tepanecapan, el capitán de Huitznáhuac, el huasteco, y Potzontzin de Cuitlachcohuacan. Estos van a entregar el oro a Coyoacan. Cuando han llegado allá dicen:

—Capitán, señor nuestro, amo nuestro: te mandan suplicar los señores tus vasallos los grandes de Tlatelolco. Dicen:

"Oiga por favor el señor nuestro:

Están afligidos sus vasallos, pues los afligen los habitantes de los pueblos en donde están refugiados por los rincones y esquinas.

Se burlan de ellos el habitante de Acolhuacan y el Otomí, los matan a traición.

Y esto más: aquí está esto con que vienen a implorarte: esto es lo que estaba en las orejeras y en los escudos de los dioses de tus vasallos.".

En su presencia colocan aquello, lo ponen en cestones para que lo vea. Y cuando el capitán y Malintzin lo vieron se enojaron y dijeron:

— ¿Es acaso eso lo que se anda buscando? Lo que se busca es lo que dejaron caer en el Canal de los toltecas. ¿Dónde está? ¡Se necesita!

Al momento le responden los que vienen en comisión:

— Lo dio Cuauhtemoctzin al Cihuacóatl y al Huiznahuácatl. Ellos saben en dónde está: que les pregunten.

Cuando lo oyó finalmente mandó que les pusieran grillos, que los encadenaran. Vino a decirles Malintzin:

— Dice el capitán: que se vayan, que vayan a llamar a sus principales. Les quedó agradecido. Puede ser que de veras estén padeciendo los del pueblo, pues de él se están mofando.

Que se vengan, que vengan a habitar sus casas de Tlatelolco; que en todas sus tierras vengan a establecerse los tlatelolcas. Y decid a los señores principales de Tlatelolco: ya en Tenochtitlan nadie ha de establecerse, pues es la conquista de los "dioses", es su casa. Marchaos.

El suplicio de Cuauhtémoc

Hecho así, cuando se hubieron ido los embajadores de los señores de Tlatelolco, luego se presentaron ante [los españoles] los principales de Tenochtitlan. Quieren hacerlos hablar.

Fue cuando le quemaron los pies a Cuauhtemoctzin.

Cuando apenas va a amanecer lo fueron a traer, lo ataron a un palo, lo ataron a un palo en casa de Ahuizotzin en Acatliyacapan.

Allí salió la espada, el cañón, propiedad de nuestros amos.

Y el oro lo sacaron en Cuitlahuactonco, en casa de Itzpotonqui. Y cuando lo han sacado, de nuevo llevan atados a nuestros príncipes hacia Coyoacan.

Fue en esta ocasión cuando murió el sacerdote que guardaba a Huitzilopochtli. Le habían hecho investigación sobre dónde estaban los atavíos del dios y los del Sumo Sacerdote de Nuestro Señor y los del Incensador máximo.

Entonces fueron hechos sabedores de que los atavíos que estaban en Cuauhchichilco, en Xaltocan; que los tenían guardados unos jefes.

Los fueron a sacar de allá. Cuando ya aparecieron los atavíos, a dos ahorcaron en medio del camino de Mazatlan.

El pueblo regresa a establecerse en Tlatelolco

Fue en ese tiempo cuando comenzó a regresar acá el pueblo bajo, se vino a establecer en Tlatelolco. Fue el año 4-Conejo.

Luego viene Temilotzin, viene a establecerse en Capultitlan.

Y don Juan Huehuetzin se vino a establecer en Atícpac.

Pero Coyohuehuetzin y Topantemoctzin murieron en Cuauhtitlan.

Cuando vinimos a establecernos en Tlatelolco aquí solamente nosotros vivimos. Aún no se venían a instalar nuestros amos los cristianos. Aún nos dejaron en paz, todos se quedaron en Coyoacan.

Allá ahorcaron a Macuilxóchitl, rey de Huitzilopochco. Y luego al rey de Culhuacan, Pizotzin. A los dos allá los ahorcaron.

Y al Tlacatécatl de Cuauhtitlan y al mayordomo de la Casa Negra los hicieron comer por los perros.

También a unos de Xochimilco los comieron los perros.

Y a tres sabios de Ehécatl, de origen tetzcocano, los comieron los perros. No más ellos vinieron a entregarse. Nadie los trajo. No más venían trayendo sus papeles con pinturas [códices]. Eran cuatro, uno huyó: tres fueron alcanzados, allá en Coyoacan.

En cuanto a los españoles, cuando han llegado a Coyoacan, de allí se repartieron por los diversos pueblos, por dondequiera.

Luego se les dieron indios vasallos en todos estos pueblos. Fue entonces cuando se dieron personas en don, fue cuando se dieron como esclavos.

En este tiempo también dieron por libres a los señores de Tenochtitlan. Y los libertados fueron a Azcapotzalco.

Allí [en Coyoacan] se pusieron de acuerdo [los españoles] de cómo llevarían la guerra a Metztitlan. De allá se volvieron a Tula.

Luego ya toma la guerra contra Uaxácac [Oaxaca] el capitán. Ellos van a Acolhuacan, luego a Metztitlan, a Michoacan... Luego a Huey Mollan y a Cuauhtemala, y a Tecuantépec.

No más aquí acaba. Ya se refirió cómo fue hecho este papel.[17]

8. UN CANTO TRISTE DE LA CONQUISTA

El cantar cuya versión aquí se ofrece proviene del manuscrito que se conserva en la Biblioteca Nacional de

[17] *Ms. Anónimo de Tlatelolco* (1528), conservado en la Biblioteca Nacional de París (Sección referente a la Conquista). Versión de Ángel Ma. Garibay K.

*México. La fecha probable de su composición es el año
de 1523. Con dramatismo se recuerda en él la forma
en que se perdió la antigua nación mexicana.*

El llanto se extiende, las lágrimas gotean allí en Tla-
     telolco.
Por agua se fueron ya los mexicanos;
semejan mujeres; la huida es general.
¿Adónde vamos?, ¡oh amigos! Luego ¿fue verdad?
Ya abandonan la ciudad de México:
el humo se está levantando; la niebla se está exten-
     diendo...
Con llanto se saludan el Huiznahuácatl Motelhuihtzin,
el Tlailotlácatl Tlacotzin,
el Tlacatecuhtli Oquihtzin...
Llorad, amigos míos,
tened entendido que con estos hechos
hemos perdido la nación mexicana.
¡El agua se ha acedado, se acedó la comida!
Esto es lo que ha hecho el Dador de la vida en Tla-
     telolco.
Sin recato son llevados Motelhuihtzin y Tlacotzin.
Con cantos se animaban unos a otros en Acachinanco,
ah, cuando fueron a ser puestos a prueba allá en Co-
     yoacan...[18]

[18] *Cantares Mexicanos.* (Biblioteca Nacional de México.)

II

MEMORIA MAYA DE LA CONQUISTA

INTRODUCCIÓN

La secuencia de los hechos

Al hablar de la conquista de los estados mayas o mayances es necesario distinguir entre los de la Península de Yucatán y los de las tierras altas de Chiapas y Guatemala. Al revés de lo que aconteció en la región central de México, donde los españoles encontraron un estado poderoso de gran pujanza y desarrollo, en el área maya, en la que antes habían florecido extraordinarias metrópolis, sólo existían al tiempo de la Conquista pequeños estados o naciones divididas entre sí y hasta cierto punto en decadencia.

Ya se dijo, al tratar de la conquista de los aztecas, que el primer contacto que tuvieron los españoles con indígenas de lo que hoy es la República Mexicana tuvo lugar precisamente con los mayas de Yucatán. En 1511, o sea ocho años antes de la expedición de Hernán Cortés, ocurrió el primer encuentro enteramente accidental. La carabela de un funcionario español, Valdivia, que había salido del Darién con rumbo a Santo Domingo, encalló en los Bajos de las Víboras. El propio Valdivia y algunos de sus acompañantes se salvaron en un pequeño bote y al fin fueron arrojados a las costas de Yucatán. Tan sólo dos lograron sobrevivir, Gonzalo Guerrero y Jerónimo de Aguilar. El primero, después de algún tiempo, contrajo matrimonio con la hija del señor de Chetumal y optó por quedarse para siempre con los mayas. Aguilar, en cambio, habría de incorporarse a la expedición de Cortés a su paso por Yucatán en 1519. Ya se ha señalado la importante misión que habría de desempeñar como intérprete entre Cortés y la Malinche.

Las expediciones de Francisco Hernández de Córdoba

en 1517 y de Juan de Grijalva en 1518, el primero de los cuales desembarcó probablemente en la isla de Mujeres y después en tierra firme, en tanto que el segundo tocó la isla de Cozumel, no tuvieron en realidad mayor importancia y desde el punto de vista indígena tan sólo fueron significativas como prenuncio de lo que había de suceder. Los contactos de Hernán Cortés y su gente, entre quienes venía por segunda vez Francisco de Montejo, el futuro conquistador de Yucatán, fueron confirmación de la presencia inevitable de los hombres barbados, de "los comedores de anonas", como les llamaron desde un principio los mayas.

Sin embargo, habrían de pasar aún varios años antes de que los hombres de Castilla emprendieran de manera directa la conquista de Yucatán. Ésta no habría de iniciarse sino hasta el año de 1527, en una primera tentativa emprendida por Montejo, y no habría de consumarse sino hasta fines de 1546. Pero, si habían de transcurrir varios años antes de que se llevara a cabo la conquista de Yucatán, no sucedió lo mismo con los estados mayances de lo que hoy es Guatemala. A fines de 1523 Pedro de Alvarado salió de la ciudad de México, enviado por Cortés, para someter a las regiones del sur, lo que es hoy el Soconusco, así como los señoríos de los cakchiqueles, los quichés, los tzutujiles y otros más. Los principales acontecimientos de la expedición de Alvarado se conocen por los testimonios del mismo conquistador, e igualmente por las relaciones de los vencidos, en este caso quichés y cakchiqueles. Brevemente aludiremos a la secuencia de los hechos más importantes.

Alvarado venía acompañado de trescientos españoles y numerosos indígenas, en su mayoría tlaxcaltecas. Después de pasar por Oaxaca y tras haber pacificado a las gentes del Soconusco, cruzó el Suchiate. Al tener noticia de esto los señores quichés decidieron oponerse a la

conquista. Para ello reunieron a su gente en Totonicapán. El primer encuentro con los quichés tuvo lugar en
las orillas del río Tilapa. La segunda parte del manuscrito cakchiquel, conocido también bajo el título de
Memorial de Sololá, refiere que el 20 de febrero de 1524,
según su calendario el día 1-Ganel, "fueron destruidos
los quichés por los hombres de Castilla".

En realidad hubo varios encuentros. La última batalla
se presentó en las inmediaciones de Quetzaltenango. Allí,
como lo refiere el texto indígena de *Los Títulos de la
Casa Ixquin-Nehaib* se hallaron frente a frente Alvarado
y el gran capitán quiché Tecum Umán. La relación
quiché, como en el caso de los testimonios aztecas, se
transforma aquí y en otros pasajes en verdadero poema
épico. "Tecum Umán como transfigurado alzó el vuelo
que venía hecho águila, lleno de plumas que nacían de
sí mismo... Intentó matar el Tonatiuh [Alvarado] que
venía a caballo y le dio al caballo por darle al Adelantado y le quitó la cabeza al caballo con una lanza. No
era la lanza de hierro sino de espejuelos y por encanto
hizo esto este capitán. Y como vio que no había muerto
el Adelantado sino el caballo, tornó a alzar el vuelo para
arriba para desde allí venir a matar al Adelantado. Entonces el Adelantado lo aguardó con su lanza y le atravesó por en medio a este Capitán Tecum Umán..." Y
prosigue la relación indígena refiriendo la admiración
de Alvarado y subrayando que, desde ese momento,
aquel lugar recibió el nombre de Quetzaltenango o sea
el lugar defendido por el quetzal.

Los señores quichés, al conocer la derrota, se fingieron
amigos de los hombres de Castilla. Los recibieron en
Gumarcaaj, su capital, con intención de derrotarlos allí.
Pero Alvarado, dentro ya de la ciudad, hizo prisioneros
a los señores, los mandó quemar y puso fuego a la capital quiché. Todo esto ocurrió en marzo de 1524.

Marchó luego el conquistador a Iximché, llamado por los señores cakchiqueles Beleheb-Cat y Cahí-Imox. Optaron éstos por aliarse con los conquistadores. Desde Iximché envió Alvarado una embajada al señor Tepépul de los tzutujiles, indicándole que debía aceptar el dominio de los hombres de Castilla. Los tzutujiles, en vez de someterse, se prepararon a resistir. A mediados de abril de 1524 Alvarado conquistaba este Señorío situado en las márgenes del lago de Atitlán.

El Adelantado regresó entonces a Iximché para preparar nuevas conquistas. Entre ellas están la del Señorío de Izcuintlán y más tarde el de Cuzcatán, en la actual República de El Salvador.

Los Anales de los Cakchiqueles refieren pormenorizadamente lo que aconteció más tarde. Alvarado había regresado a Iximché, capital de los cakchiqueles. Sus reiteradas exigencias de oro y de toda clase de tributos acabaron por colmar la paciencia de los cakchiqueles, quienes huyeron de la ciudad y se rebelaron violentamente. Acto seguido, como lo refieren los mismos anales, "comenzó nuestra matanza por parte de los hombres de Castilla... la muerte nos hirió nuevamente, pero ninguno de los pueblos pagó el tributo". Casi un año más tarde, los cakchiqueles tuvieron que someterse y el 12 de enero de 1525 tuvieron que aceptar el pago de tributos.

La dominación española en Guatemala quedó consolidada. Alvarado había establecido su capital en la antigua Iximché, desde el 25 de julio de 1524. La ciudad cakchiquel había cambiado su nombre por el de Santiago de Guatemala. En 1527 la capital se trasladó al Valle de Almolonga. Allí habría de morir años después, el 11 de septiembre de 1541, la viuda de Alvarado, doña Beatriz de la Cueva, cuando la ciudad fue destruida al reventarse el volcán Hunahpú, cuando, como dice el texto indígena, "el agua brotó del interior del volcán, murieron y perecieron los castellanos y pereció la mujer de Tonatiuh..."

Estos son los hechos principales de la conquista de las naciones indígenas de las tierras altas de Guatemala. Volvamos la mirada a la conquista de Yucatán, la otra porción principal del mundo maya.

Los encuentros entre españoles e indígenas, a partir de la primera expedición emprendida en 1527, fueron unas veces cordiales y otras, las más, hostiles y violentos. Cuando en 1531 el Adelantado Montejo cruzó la provincia de Maní, los xius, antiguos pobladores de Uxmal, lo acogieron amistosamente, como lo habían hecho en México los de Tlaxcala. Los de Chetumal, en cambio, opusieron resistencia y lo obligaron a embarcarse rumbo a Honduras.

Más tarde, al intentar someter a la gente de Campeche, Francisco de Montejo y su propio hijo estuvieron a punto de ser sacrificados. Consolidada tan sólo en forma precaria la conquista de Campeche, el joven Montejo marchó en contra de los cocomes de Mayapán y de los cupules que habitaban la región de Chichen-Itzá. Sin lograr resultados positivos, pero contando siempre con la fidelidad de los xius, tuvo que regresar al fin en busca de su padre. Los mayas, que dejaron varias relaciones acerca de estos hechos, entre ellas la escrita por Ah Nakuk Pech, señor de Chac-Xulub-Chen, contrastan en su descripción con las noticias consignadas por Montejo y más tarde principalmente por Fray Diego de Landa.

A pesar de no encontrar a su paso ningún estado poderoso, la conquista de Yucatán hubo de prolongarse por varios años. Las noticias que llegaban de las expediciones al Perú, donde según se decía había oro en abundancia, hicieron desmayar en más de una ocasión a las tropas de los Montejo. No fue sino hasta el año de 1541 cuando Montejo el joven pudo emprender la conquista definitiva de Yucatán. El 6 de enero de 1542 fundó en la antigua Tihó la que habría de ser la ciudad de Mérida. Al año siguiente dio principio a la nueva Valladolid de Yucatán. Poco a poco las armas de los "comedores de anonas" se fueron imponiendo por todas partes. La última acción importante fue la violenta rebelión de los grupos del oriente de Yucatán, entre ellos los cupules y los chichuncheles que atacaron a los españoles la noche del 8 de noviembre de 1546, en el calendario sagrado, el 5-Cimi 19 Xul, "muerte y fin", fecha en extremo significativa dentro del tzolkin o cuenta astrológica de 260 días. La victoria quedó, contra lo que pudiera haberse previsto, de parte de los españoles. Puede afirmarse que para fines de 1546 la conquista del norte y de una parte del centro de Yucatán quedaba consumada.

Como veremos, no pocos de los hechos principales de esta conquista fueron consignados por los supervivientes indígenas. La crónica del ya mencionado Ah Nakuk Pech y sobre todo los testimonios incluidos en varios de los libros de Chilam Balam, también en maya, permiten acercarse de manera directa a esta que llamaremos segunda visión de los vencidos.

Los testimonios mayances de la Conquista

1) *Textos en quiché y cakchiquel.* Para acercarse al punto de vista de los vencidos en la conquista de las tierras altas de Guatemala hay varias relaciones y crónicas en idiomas cakchiquel y quiché. La más antigua de éstas parecen ser los *Títulos de la Casa Ixquin Nehaib, Señora del Territorio de Otzoya,* redactados originalmente en quiché durante la primera mitad del siglo

XVI, pero de los que sólo se conserva una antigua versión castellana.[1] El testimonio de los quichés, que desde un principio se opusieron a Alvarado, abunda en pasajes de gran fuerza épica, como el que ya citamos acerca de la muerte del capitán Tecum Umán.

Debido también a los mismos descendientes de quienes concibieron y compilaron el celebérrimo *Popol Vuh,* donde se contienen las antiguas historias del quiché, se ha conservado casi hasta el presente otra manera de testimonio indígena acerca de la llegada de los hombres de Castilla. Nos referimos al diálogo o baile de la Conquista, especie de representación teatral al modo indígena, que recuerda la más conocida composición del *Rabinal Achí* o drama del Varón de Rabinal. El *Baile de la Conquista* de los quichés, que podemos conocer gracias al testimonio de informantes de lugares como San Pedro de la Laguna, de Zacapulas y de otros pueblos, es la más viva recreación del encuentro de los hombres blancos con la gente del quiché, escenificada y actuada ante el pueblo, que contra lo que muchos creen, no ha perdido hasta ahora la conciencia de lo que significó la Conquista.[2]

Son los *Anales de los Cakchiqueles* la fuente en la que se encuentra el testimonio de los sabios e historiadores de esta región indígena acerca de la Conquista.

[1] Los *Títulos de la Casa Ixcuin Nehaib* han sido publicados por Adrián Recinos en *Crónicas Indígenas de Guatemala,* junto con otras importantes relaciones indígenas. Editorial Universitaria, Guatemala 1957, pp. 71-94.

[2] El diálogo o *Baile de la Conquista* ha sido publicado en la versión del informante de San Pedro de La Laguna en la Revista *Guatemala Indígena,* Instituto Indigenista Nacional, vol I, nº 2, abril-junio 1961, pp. 103-147.

Véase asimismo el estudio de Jesús Castro Blanco acerca de *El Baile de la Conquista* en la misma revista *Guatemala Indígena,* vol. II, nº 1, enero-marzo 1962, pp. 57-66.

Según parece la redacción de estos Anales se debe a varios autores, todos de la parcialidad de los xahil, quienes consignaron en ellos mitos e historias acerca de los tiempos antiguos e incluyeron como segunda parte la relación de la llegada de los castellanos y los principales hechos de la Conquista. Aun cuando en el manuscrito se habla de los sucesos tocantes a la nación cakchiquel hasta el año de 1604, es indudable que la relación de la Conquista se compuso en años bastante anteriores, por testigos presenciales de la misma o al menos por los inmediatos descendientes de ellos.

Este importante testimonio cakchiquel ha sido publicado en diversas ocasiones desde mediados del siglo pasado. De las varias versiones castellanas que de él existen, es sin duda la mejor la de Adrián Recinos.[3]

Como dato hasta cierto punto curioso puede mencionarse finalmente que en el *Lienzo de Tlaxcala,* ya citado a propósito de los testimonios indígenas de la conquista de México, hay varias pinturas acerca de la expedición de Alvarado a Guatemala. La razón de esto es, como ya se señaló, que numerosos tlaxcaltecas acompañaron a Alvarado en sus conquistas por el sur. Esas pinturas obviamente constituyen una particular forma de testimonio indígena: el de quienes fueron también vencidos, puesto que perdieron su antigua cultura, pero que no obstante, por su rivalidad con los aztecas, optaron por aliarse a los españoles, no sólo en la conquista de México, sino en otras varias empresas, como fue la conquista de las tierras altas de lo que hoy es Guatemala.

2) *Textos en maya.* Mencionados ya los testimonios en lenguas quiché y cakchiquel, nos referiremos ahora

---

[3] *Memorial de Sololá, Anales de los Cakchiqueles,* traducción directa del original, introducción y notas de Adrián Recinos, Biblioteca Americana, Fondo de Cultura Económica, México, 1950.

a las fuentes indígenas en maya acerca de la conquista de Yucatán. La más antigua de éstas parece ser la crónica de Chac Xulub Chen debida a Ah Nakuk Pech, señor de ese lugar. Nakuk Pech fue, como él mismo lo repite con frecuencia, testigo de la Conquista. Su crónica quedó concluida probablemente a principios de la segunda mitad del siglo xvi. Hombre bastante informado, consigna en ella no sólo hechos en los que fue parte y testigo, sino también otros que le fueron referidos por quienes participaron en ellos. En su relación se trasluce claramente la antigua manera de expresión y el estilo propio de los textos históricos de los tiempos prehispánicos. En ella se trata desde la primera aparición de los hombres de Castilla, hasta lo sucedido en Yucatán por el año de 1554.[4]

De los testimonios en idioma maya de Yucatán los dieciocho libros de Chilam Balam que se conservan son sin duda la porción más importante de su legado literario. En varios de ellos se contienen secciones enteras acerca de la Conquista. El más conocido de estos libros es el *Chilam Balam de Chumayel*. Aunque sólo existe una copia tardía de él, probablemente de fines del siglo xviii, puede afirmarse, no obstante, que varias de sus secciones o "capítulos" fueron escritos desde el mismo siglo xvi. Dos de esos capítulos son particularmente importantes para el estudio de la visión maya de la Conquista: el "Kahlay de los dzules" o sea la "memoria acerca de los extranjeros" y el Kahlay o memoria de la Conquista. De hecho existen varias versiones al castellano y al inglés de tan interesante documento. En esta presentación de testimonios, nos apoyaremos principal-

[4] *Crónica de Chac Xulub Chen* (Versión de Héctor Pérez Martínez), incluida en *Crónicas de la Conquista de México*, Introducción, selección y notas de Agustín Yáñez, Biblioteca del Estudiante Universitario, 2ª edición, México, 1950.

mente en las versiones y estudios preparados acerca de él por Antonio Mediz Bolio, Ralph L. Roys y Alfredo Barrera Vásquez.[5]

Desgraciadamente, la mayor parte de los libros de Chilam Balam permanecen hasta la fecha inéditos. Solamente existe versión del ya citado de Chumayel, así como del de Tizimín, parte del de Maní y del de Calkiní, conocido este último bajo el título de Crónica o Códice de ese lugar.[6]

En esta antología se incluirán algunos pasajes del *Chilam Balam de Maní* que fueron incluídos en el *Códice Pérez*, en versión preparada especialmente por el profesor Demetrio Sodi, así como algunas porciones del Códice o Crónica de Calkiní, editada por el ya citado Barrera Vásquez.[7]

En estos textos de los libros de Chilam Balam se en-

[5] El libro de *Chilam Balam de Chumayel*, versión del maya por Antonio Mediz Bolio, San José, Costa Rica, 1930.

El libro de los libros de Chilam Balam, edición de Alfredo Barrera Vásquez. Fondo de Cultura Económica, México, 1948.

The Book of Chilam Balam of Chumayel, editado por Ralph L. Roys, Carnegie Institution of Washington, publicación 438, Washington, 1940. De este manuscrito, cuyo original se extravió, existe una reproducción facsimilar hecha por G. B. Gordon, *The Book of Chilam Balam of Chumayel*, with introduction by..., University Museum, Serie de Publicaciones de Antropología, vol. v, Philadelphia, 1913.

[6] Un estudio acerca del origen y paradero de los otros libros de Chilam Balam puede hallarse en: Alfredo Barrera Vázquez y Silvanus G. Morley, *The Maya Chronicles,* Washington, Carnegie Institution of Washington, Publicación 585, 1949.

[7] El *Códice Pérez,* así llamado en honor de don Juan Pío Pérez, incluye una serie de textos mayas recopilados por él mismo. Existe una edición preparada por Hermilo Solís Alcalá, Mérida, 1949.

El *Códice de Calkiní* ha sido publicado en reproducción facsimilar y con versión al castellano por Alfredo Barrera Vásquez, Biblioteca Campechana, nº 4, Campeche, 1957.

cuentra la que llamaremos versión filosófica de los sabios mayas acerca de la Conquista.

Finalmente, y por poco conocido lo mencionaremos aquí, hay un interesante texto en lengua de los chontales de Tabasco, gente también de la familia mayance, transcrito a principios del siglo XVII, en el que se habla de la llegada de Hernán Cortés a la región de Acalan, en las costas del Golfo de México. El conquistador, que marchaba a las Hibueras, llevaba consigo como prisionero a Cuauhtémoc. En este texto sostienen los chontales que Cuauhtémoc trató de ganarse su apoyo para rebelarse contra los conquistadores españoles. Según los chontales, la conjuración quedó al descubierto y esto fue, entre otros motivos, lo que al parecer determinó a Cortés a dar muerte al último señor de Tenochtitlan.

Aunque esta relación puede considerarse como desligada del contenido de los textos en maya, quiché y cakchiquel, la incluimos parcialmente ya que en ella puede verse cuál fue la actitud de ese señorío chontal, no sólo ante la presencia de los hombres de Castilla, sino también ante la muerte de quien ha sido llamado "el único héroe a la altura del arte", o sea el joven señor Cuauhtémoc.[8]

El concepto maya de la Conquista

La imagen que se forjaron los diversos grupos mayas acerca de la Conquista presenta rasgos que la hacen inconfundible. Antes que nada encontramos en ella, más aún que en el caso de los aztecas, la preocupación mile-

---

[8] El texto chontal, en reproducción facsimilar, así como traducido al español y al inglés, ha sido publicado por France V. Scholes y Ralph L. Roys en *The Maya Chontal Indians of Acalan-Tixchel*, Publication 560, Carnegie Institution of Washington, Washington D. C., 1948, pp. 367-405.

naria por indicar la fecha precisa en que cada acontecimiento ocurrió. Así, por ejemplo, en la crónica de Chac Xulub Chen quedan consignadas las tres expediciones que tocaron las costas de Yucatán, o sea la de Hernández de Córdoba, la de Grijalva y la de Cortés. Acerca de la primera se lee en la crónica "que en ese año se terminó de llevar el katún, se terminó de poner en pie la piedra pública que por cada veinte tunes o años se ponía en pie, antes de que llegaran los señores extranjeros..." Y en el libro del Chilam Balam de Chumayel igualmente se repite que en la cara del Katún, en la piedra conmemorativa del ciclo de veinte años, en el 13 Ahau, estaba la representación de la venida de los cristianos. Otro tanto podría decirse de los testimonios en quiché y cakchiquel que consignan igualmente el año y el día en que aparecieron los hombres de Castilla.

En este caso la importancia que daban los mayas a medir la marcha del tiempo iba a ser doblemente trágica: por una parte la llegada de los extranjeros iba a significar su ruina; por otra, como lo dejó escrito Ah Nakuk Pech, su venida significó el fin de la antigua tradición de levantar piedras que conmemoraran los katunes, ya que, como se asienta en la crónica, "desde que vinieron los hombres de Castilla no se volvió a hacer esto jamás..."

En estrecha relación con el tema del tiempo encontramos en los textos de Chilam Balam una serie de profecías de los antiguos sacerdotes que predicen con angustia la llegada de los dzules o extranjeros. Como se lee en el libro de Chumayel, "su aparición será la carga del Katún". En el texto de Maní estas mismas profecías adquieren una insistencia más allá de lo creíble. Allí se dan los nombres de los varios sacerdotes que anunciaron la llegada del trozo de madera que colocado en lo alto habría de dar nuevo sentido a la vida de los mayas. Podrá discutirse si realmente estas profecías fueron pronunciadas antes de la llegada de los conquistadores. Pero aun cuando no fuera así, aun cuando pudiera constar que fueron redactadas en los años que siguieron a la dominación española, de cualquier manera son testimonio del empeño maya por llegar con su astrología, con sus "ruedas" o ciclos de katunes, con su ciencia del tiempo, a una interpretación coherente de esos hechos que habrían de transformar violentamente su modo de ver el mundo, sus formas de adorar y toda su antigua manera de vida. Como quedó escrito en las palabras que se atribuyen al sacerdote Ah Kauil Chel: "Se cumplió lo escrito: en este katún, aunque no lo entiendas, vendrá quien conozca la sucesión de las épocas..."

Es cierto que en las tierras altas de Guatemala, al igual que en el mundo azteca, se pensó en un principio que los extranjeros eran dioses. Los *Anales de los Cakchiqueles* son explícitos acerca de este punto. En ellos se lee:

> *Sus caras eran extrañas,*
> *los señores los tomaron por dioses,*
> *nosotros mismos, vuestro padre,*
> *fuimos a verlos*
> *cuando entraron a Yximchée.*

Los mayas de Yucatán en cambio, no pensaron que los extranjeros fueran dioses. Desde un principio los llamaron *dzules*, que quiere decir forasteros. Igualmente les dieron por nombre "comedores de anonas", porque vieron que los hombres de Castilla, a diferencia de los propios mayas, comían esos frutos.

Pero el rasgo más interesante de los testimonios mayas, a través de los que puede percibirse lo que llamamos su "visión filosófica de la Conquista", está en los juicios

77

que emitieron acerca de ella. Leemos en Chilam Balam de Chumayel:

> *Entonces todo era bueno*
> *y entonces [los dioses] fueron abatidos.*
> *Había en ellos sabiduría.*
> *No había entonces pecado...*
> *No había entonces enfermedad,*
> *no había dolor de huesos,*
> *no había fiebre para ellos,*
> *no había viruelas...*
> *Rectamente erguido iba su cuerpo entonces.*
> *No fue así lo que hicieron los dzules*
> *cuando llegaron aquí.*
> *Ellos enseñaron el miedo,*
> *vinieron a marchitar las flores.*
> *Para que su flor viviese,*
> *dañaron y sorbieron la flor de nosotros...*

Y añade más abajo:

> *¡Castrar al sol!*
> *Eso vinieron a hacer aquí los dzules.*
> *Quedaron los hijos de sus hijos,*
> *aquí enmedio del pueblo,*
> *esos reciben su amargura...*

El juicio condenatorio de los sacerdotes y sabios mayas supervivientes se funda en razones. Al igual que sus hermanos del mundo azteca, son conscientes de que sus dioses han muerto. Saben que el cristianismo predica el amor y la paz. Pero ven con sus propios ojos que la manera de obrar de los cristianos contradice lo que les predican:

> *Esta es la cara de Katún,*
> *la cara del Katún del 13 Ahau:*

se quebrará el rostro del sol,
caerá rompiéndose sobre los dioses de ahora...
Nos cristianizaron,
pero nos hacen pasar de unos a otros
como animales.
Dios está ofendido de los chupadores...

En resumen puede decirse que en la visión maya de la conquista hay tres elementos fundamentales: es contemplada y predicha desde el punto de vista de la marcha inexorable del tiempo; por lo menos en Yucatán nadie piensa que los dzules sean dioses, y, finalmente, se toma conciencia de lo que han hecho y se les mide con el criterio de la doctrina que ellos predican. Quienes escribieron los libros de Chilam Balam habían aceptado ya, al menos en parte, el cristianismo. Prueba de ello son las numerosas interpolaciones con textos e ideas religiosas tomadas de la tradición cristiana. Lo que mueve a los mayas a condenar a los extranjeros es la contradicción entre sus prédicas y su manera de actuar y comportarse con los indios. Tal nos parece ser el meollo del concepto maya acerca de la Conquista.

LOS TESTIMONIOS MAYAS
DE LA CONQUISTA

1. LAS PALABRAS DE LOS SACERDOTES
PROFETAS

*Si los aztecas afirman en sus textos que hubo prodigios
y presagios funestos que vaticinaron la llegada de los
hombres blancos, los textos mayas contienen asimismo las
célebres profecías de los Chilam-Balamoob o sacerdotes
"tigres" que anuncian la aparición de los que llaman
"extranjeros de barbas rubicundas". Se inicia así la antología de los textos mayas acerca de la Conquista con
varias de las profecías, tomadas de los libros de Chilam
Balam de Chumayel, de Tizimín y de Maní. Coinciden
estas profecías en afirmar que dentro del undécimo pe-
riodo de veinte años de 360 días, o sea en el 11 Ahau
Katún, habrían de llegar "los hijos del sol, los hombres
de color claro". A continuación se ofrece la versión de
cinco de estos textos proféticos, ejemplo de otros muchos
que podrían presentarse.*

*Profecía de Chumayel y Tizimín acerca de la venida de
los extranjeros de barbas rubicundas*

El 11 Ahau Katún,
primero que se cuenta,
es el katún inicial.
Ichcaansihó, Faz del nacimiento del cielo,
fue el asiento del katún
en que llegaron los extranjeros de barbas rubicundas,
los hijos del sol,
los hombres de color claro.
¡Ay! ¡Entristezcámonos porque llegaron!

Del oriente vinieron,
cuando llegaron a esta tierra los barbudos,
los mensajeros de la señal de la divinidad,
los extranjeros de la tierra,
los hombres rubicundos . . . ,
Comienzo de la Flor de Mayo.
¡Ay del Itzá, Brujo del agua,
que vienen los cobardes blancos del cielo,
los blancos hijos del cielo!
El palo del blanco bajará,
vendrá del cielo,
por todas partes vendrá,
al amanecer veréis la señal que le anuncia.
¡Ay! ¡Entristezcámonos porque vinieron,
porque llegaron los grandes amontonadores de piedras,
los grandes amontonadores de vigas para construir,
los falsos ibteeles, "raíces" de la tierra
que estallan fuego al extremo de sus brazos,
los embozados en sus sábanas,
los de reatas para ahorcar a los Señores!
Triste estará la palabra de Hunab Ku,
Única-deidad, para nosotros,
cuando se extienda por toda la tierra
la palabra del Dios de los cielos.
¡Ay! ¡Entristezcámonos porque llegaron!
¡Ay del Itzá, Brujo del agua,
que vuestros dioses no valdrán ya más!
Este Dios Verdadero que viene del cielo
sólo de pecado hablará,
sólo de pecado será su enseñanza.
Inhumanos serán sus soldados,
crueles sus mastines bravos.
¿Cuál será el Ah Kin,
Sacerdote del culto solar,
y el Bobat, Profeta,

que entienda lo que ha de ocurrir
a los pueblos de Mayapan,
Estandarte-venado, y Chichen Itzá,
Orillas de los pozos del brujo del agua?
¡Ay de vosotros,
mis Hermanos Menores,
que en el 7 Ahau Katún
tendréis exceso de dolor
y exceso de miseria,
por el tributo reunido
con violencia,
y antes que nada entregado con rapidez!
Diferente tributo mañana
y pasado mañana daréis;
esto es lo que viene, hijos míos.
Preparaos a soportar la carga de la miseria
que viene a vuestros pueblos
porque este katún que se asienta
es katún de miseria,
katún de pleitos con el malo,
pleitos en el 11 Ahau.[1]

La palabra del Chilam Balam, sacerdote de Maní

Cuando acabe la raíz del Trece Ahau Katún,
sucederá que verá el Itzá,
sucederá que verá allí Tancah
la señal del Señor, Dios Único.
Llegará. Se enseñará el madero asentado sobre los
        pueblos,
para que ilumine sobre la tierra.
Señor: se acabó el consuelo,

[1] Versión de Alfredo Barrera Vásquez, en *El Libro de los Libros de Chilam Balam*, 2ª edición, Fondo de Cultura Económica. México, 1963, pp. 68-69.

se acabó la envidia,
porque este día ha llegado el portador de la señal.
¡Oh Señor, su palabra vendrá a hundirse en los pueblos
    de la tierra!
Por el norte, por el oriente llegará el amo,
¡Oh poderoso Itzamná!
Ya viene a tu pueblo tu amo, ¡Oh Itzá!
Ya viene a iluminar tu pueblo.
Recibe a tus huéspedes, los barbados,
los portadores de la señal de Dios.
Señor, buena es la palabra del Dios que viene a nosotros,
el que viene a tu pueblo con palabras del día de la re-
    surrección.
Por ello no habrá temor .sobre la tierra.
Señor, tú, único Dios, el que nos creó,
¿Es bueno el signo de la palabra divina?
Señor: el madero antiguo es substituido por el nuevo . . .[2]

Una profecía del Chilam Balam de Chumayel

Esta es la cara del Katún,
la cara del Katún, del Trece Ahau:
Se quebrará el rostro del Sol.
Caerá rompiéndose sobre los dioses de ahora.
Cinco días será mordido el Sol y será visto.
Esta es la representación del Trece Ahau.

Señal que da Dios
que sucederá que muera el Rey de esta tierra.
Así también vendrán los antiguos reyes
a pelear unos contra otros,
cuando vayan a entrar los cristianos a esta tierra.

[2] Versión del maya por Demetrio Sodi M. del "Chilam Balam de Maní", Segunda parte, cap. VII, en: *Códice Pérez*, Ediciones de la Liga de Acción Social, Mérida, 1949, pp. 148-149.

Así dará señal Nuestro Padre Dios de que vendrán,
porque no hay concordia,
porque ha pasado mucho la miseria
a los hijos de los hijos.

Nos cristianizaron,
pero nos hacen pasar de unos a otros como animales.
Y Dios está ofendido de los "Chupadores".

Mil y quinientos treinta y nueve años,
así: 1539 años.

Al Oriente está la puerta
de la casa de don Juan (Francisco) Montejo,
el que metió el cristianismo
en esta tierra de Yucalpetén,
Yucatán.

> Chilam Balam, profeta.[3]

*Profecía de Chilam Balam, que era cantor
en la antigua Maní*

Buena es la palabra de arriba, Padre.
Entra su reino,
entra en nuestras almas el verdadero Dios;
pero abren allí sus lazos.
Padre, los grandes cachorros que se beben a los hermanos,
esclavos de la tierra.
Marchita está la vida
y muerto el corazón de sus flores,
y los que meten su jícara hasta el fondo,
los que lo estiran todo hasta romperlo,

[3] *Chilam Balam de Chumayel*, versión de Antonio Mediz Bolio, San José, Costa Rica, 1930, p. 66.

dañan y chupan las flores de los otros.
Falsos son sus reyes,
tiranos en sus tronos,
avarientos de sus flores.
De gente nueva es su lengua,
nuevas sus sillas, sus jícaras, sus sombreros.
¡Golpeadores de día,
afrentadores de noche,
magulladores del mundo!
Torcida es su garganta,
entrecerrados sus ojos;
floja es la boca del rey de su tierra,
Padre, el que ahora ya se hace sentir.
No hay verdad en las palabras de los extranjeros.
Los hijos de las grandes casas desiertas,
los hijos de los grandes hombres
de las casas despobladas,
dirán que es cierto
que vinieron ellos aquí, Padre.

¿Qué Profeta, qué Sacerdote,
será el que rectamente interprete
las palabras de estas escrituras? [4]

Otra profecía del Libro de los Linajes
  (Chilam Balam de Chumayel)

El Once Ahau Katún se asienta en su estera, se asienta
en su trono. Allí se levanta su voz, allí se yergue su
señorío. El rostro de su dios despide rayos.

Bajan hojas del cielo, bajan del cielo arcos floridos.
Celestial es su perfume. Suenan las músicas, suenan las
sonajas del Once Ahau. Entra al atardecer y cubre muy
alegre con su palio al sol, al sol que hay en Sulim chan,

[4] *Ibid.* pp. 119-120.

al sol que hay en Chikinputún. Se comerán árboles, se comerán piedras, se perderá todo sustento dentro del Once Ahau Katún.

En el Once Ahau se comienza la cuenta, porque en este Katún se estaba cuando llegaron los Dzules, los extranjeros, los que venían del Oriente cuando llegaron. Entonces empezó el cristianismo también. Por el Oriente acaba su curso. Ichcansihó es el asiento del Katún...

Solamente por el tiempo loco, por los locos sacerdotes, fue que entró a nosotros la tristeza, que entró a nosotros el Cristianismo. Porque los muy cristianos llegaron aquí con el verdadero Dios; pero ese fue el principio de la miseria nuestra, el principio del tributo, el principio de la limosna, la causa de que saliera la discordia oculta, el principio de las peleas con armas de fuego, el principio de los atropellos, el principio de los despojos de todo, el principio de la esclavitud por las deudas, el principio de las deudas pegadas a las espaldas, el principio de la continua reyerta, el principio del padecimiento. Fue el principio de la obra de los españoles y de los padres, el principio de usarse los caciques, los maestros de escuela y los fiscales.

¡Que porque eran niños pequeños los muchachos de los pueblos, y mientras, se les martirizaba! ¡Infelices los pobrecitos! Los pobrecitos no protestaban contra el que a su sabor los esclavizaba, el Anticristo sobre la tierra, tigre de los pueblos, gato montés de los pueblos, chupador del pobre indio. Pero llegará el día en que lleguen hasta Dios las lágrimas de sus ojos y baje la justicia de Dios de un golpe sobre el mundo.

¡Verdaderamente es la voluntad de Dios que regresen Ah-Kantenal e Ix-Pucyolá, para roerlos de la superficie de la tierra! [5]

[5] *Ibid.*, pp. 29-30.

Los canules de Campeche dejaron también en la Cró-
nica de Calkiní su propia visión de. la Conquista. Se
incluye sólo un pasaje en el que narran los indígenas algo
de lo que tuvieron que sufrir.

Estos vivían aquí cuando llegaron los españoles. Pasaron
trabajos aquí en Calkiní. Jadeantes y sin cesar llevaban
carga sin paga alguna día a día. En dos partes dividían
el camino, con su carga: tanto por Pochoc como por
Chulilhá, hasta los cortiles de Na Puc Canul, quien tenía por nombre paal Ah Cen Canul.

Na Cabal Batún era esclavo en los cortiles de Ah Kul
Canché. Salían de aquí de Calkiní de la casa de Ah
Kin Canul y llegaban a Pochoc. Guerreados salieron.
Por Palcab venían con sus perseguidores detrás de ellos;
el Ah Kin Canul y sus esclavos cargadores y su gente
en gran número escaparon.

Sus hijos eran Ah Tok el mayor, Ah Ch'im Canul y
su hermano menor. Los esclavos de su padre eran cinco
y su gente eran cinco también. En la casa de Ah Kul
Canché se desplomaron con sus cargas todos.

"Fatigados estáis, señores." "No es juego lo que hemos padecido. Desde que salimos hemos padecido el no
dormir. Ha dejado de pasar la gente por el camino,
porque lo cortan aquellos hombres. Por Palcab nos ata-
jaron. Id al amanecer por el bosque."

Por aquella manigua fueron corriendo con miedo de
ser cogidos. Estaban cargadísimos por los españoles. Se
cargó todo. Los grandes perros, sus cuellos sujetos a
hierros. "Envuelve, para cargar, al perro, con tu ropa,
eh tú, hombre!", les ordenaban. Se colgaron los cerdos
de palos. "Cuelga al palo el cerdo con tus ropas, eh
tú, hombre!"

Las mujeres también fueron cargadas. "Que te carguen, mujer, con tus ropas." Quedaron sin enaguas, así se les cargó. No una, ni dos veces sucedió lo que se relata; muchas veces, innumerables, sucedió a nuestros padres, aquí por los caminos de Calkiní.

No sucedió a los de Pochoc que estaban entre los pakmuchenses y los tenabenses. Les sucedió a todos los que decimos del camino de Ho' [Mérida]; les sucedió a los chulenses y a los de Chicán y a los de Maxcanú y a los pueblos de las sabanas y a los de Dzibilkal.

El Batab [6] de éstos era Na Couoh Canul. Éste era su nombre natal. Na Mo Uc era su Kul. Asimismo, los Batabes enumerados arriba, se esparcieron por los pueblos. Los que hemos dicho, llegaron todos juntos aquí en Calkiní. De aquí salió estando presente Ah Tzab Canul y fuese a ejercer el Batabilado en Bacabch'én, Copa Cab Canul, con sus súbditos, y con su Kul Na Chan Coyí.

Era Batab en Bacabch'én, cuando llegaron los españoles a Champotón y se reunieron los Batabes y fue enviado por los Batabes a Champotón. [7]

3. LA CRÓNICA DE CHAC XULUB CHEN

Menos dramática ciertamente que los textos tomados de los libros de Chilam Balam es la crónica escrita por Ah Nakuk Pech, señor de Chac Xulub Chen, quien refiere algunos de los hechos principales de la Conquista. Las páginas que aquí se transcriben, siguiendo la versión de Héctor Pérez Martínez, relatan algunos de los aconteci-

[6] Batab: título jerárquico entre los mayas. Especie de "príncipe" feudatario de un gobernante más poderoso.
[7] *Códice de Calkiní*. Versión de Alfredo Barrera Vásquez, Biblioteca Campechana, nº 4, Campeche, 1957, pp. 49-57.

mientos principales a partir de la primera aparición de
los dzules en 1511, unos náufragos, entre quienes se en-
contraba el célebre Jerónimo de Aguilar.

En este tiempo no había sido visto ninguno de los señores extranjeros hasta que fue aprehendido Jerónimo de
Aguilar por los de Cozumel. Y ésta, a saber, fue la causa
de que se conocieran en la comarca, porque terminaron
por caminar todos por la tierra; pero no todos palparon
la tierra de la región. Entonces yo conté ante el príncipe
que había venido, en tanto que el príncipe Ah Macán
Pech, Don Pedro Pech, y sus súbditos, los del antiguo
linajes, y sus nacones [8] y todos los que le seguían se fueron
detrás a saludar al príncipe para que conociera las caras de sus sirvientes.

Y entonces cincuenta principales hombres fueron
hacia donde está el príncipe y rey, el que reina, y le
sirvieron en la mesa, allá lejos, en España, y éstos
son los que se quedaron a servir detrás del rey, el que
reina.

Entonces ordenó el príncipe que todos pagaran los
tributos, hijos, mis hijos, todos, hasta nosotros los Ah
Pech, los del antiguo linaje de esta tierra, y los del antiguo linaje de los cupules. Y dio su alta orden para que
se ordenaran las cuentas de las cosas y de los hombres
mayas delante del príncipe, y vinieron y dividieron y se
asentaron en la tierra.

De este modo, nuestra tierra fue descubierta, a saber,
por Jerónimo de Aguilar, quien, a saber, tuvo por sue-
gro a Ah Naum Ah Pot, en Cozumel, en 1517 años.

Este año se terminó de llevar el katún; a saber, se
terminó de poner en pie la piedra pública que por cada
veinte tunes que venían, se ponía en pie la piedra pú-

---

[8] Nacón (*Nacom*): dignidad sacerdotal.

blica antes de que llegaran los señores extranjeros, los españoles, aquí, a la comarca. Desde que vinieron los españoles fue que no se hizo nunca más.

En 1519 años fue el primer año en que vinieron los españoles aquí, a Cozumel. En la tercera vez vinieron Fernando Cortés y Espoblaco Lara. Y fue el 28 de febrero que vinieron por la primera vez los que saben decir bien la palabra.

Este año fue que vinieron a Chichén los comedores de anonas. Entonces, lo primero que conocieron los grandes españoles Don Francisco de Montejo, el Adelantado, y los altos jefes, fue Chichén Itzá, donde se asentaron.

En 1521, el día 13 de agosto, los españoles se adueñaron de la tierra de México después de que por tercera vez los hombres de todos los pueblos les hicieron la guerra aquí, en la ciudad de los cupules, cuando interrogaron a Ah Ceh Pech por lo de la matanza de Zalibná, y a su compañero el príncipe Cenpot, de Tixkochoh, en la ciudad de Tecantó, el lugar en Kin Ich Kakmó, Itzmal, la ciudad que era la igual de Toltún Aké.

Este año, a saber, tuvo lugar por la segunda vez la llegada de los españoles a Chichén Itzá, cuando por segunda vez se aposentaron en Chichén Itzá: cuando vino el capitán Don Francisco de Montejo, el que es justo y es severo; cuando vino el nacón Cupul. A los veinte años después de que llegaron a Chichén Itzá vinieron a la ciudad, cuando fueron nombrados comedores de anonas, chupadores de anonas.

1542 años fue el año en que se aposentaron los españoles en la tierra de Ichcanzihoo [lugar cuyo] Chuncán era el igual de Kin Ich Kakmó, sacerdote, y el príncipe Tutul Xiú, príncipe de la ciudad de Maní, encogió la cabeza y se asentaron los del nuevo linaje.

Fue entonces que llegó y entró por primera vez el

tributo, cuando ellos, a saber, por la tercera vez vinieron a esta tierra y para siempre se asentaron: esto es, se aposentaron. Entonces, en la primera vez, cuando vinieron a Chichén Itzá, fue cuando por primera vez comieron anonas, y como no eran comidas estas anonas, cuando los españoles las comieron fueron nombrados comedores de anonas.

La segunda vez que vinieron a Chichén Itzá fue cuando despojaron al nacón Cupul. En la tercera vez que vinieron fue cuando para siempre se asentaron, y a saber, fue en 1542 años; año en que para siempre se aposentaron aquí, en la tierra de Ichcanzihoo, siendo el 13 Kan el porta-año, según la cuenta maya.

1543 años fue el año en que los españoles fueron al norte (hacia la tierra de los cheeles a buscar mayas para siervos, pues que no había siervos, hombres esclavos en T-Hó [Mérida].

Ellos vinieron y buscaron hombres para esclavos en un momento. Cuando llegaron a Popoce, los que salieron de T-Hó impusieron pesados tributos cuando llegaron a Popoce. Y entonces fueron y vinieron a Tikom muchos días; y después de que llegaron a Tikom, a los veinte días, fue cuando, a saber, se partieron los españoles.

Fue en 1544 años, a saber, el año en que se dio Cauacá al señor extranjero, al capitán Asiesa. En Cauacá fueron amontonados los señores y a causa del tributo ellos dieron miel, pavos silvestres y maíz.

Estaban en Cauacá, después, cuando encerraron en la prisión al letrado Caamal, de Sisal, y pidieron la cuenta de todos los pueblos. Un año lo tuvieron preso y él siguió el camino de los españoles cuando fueron a la tierra de Zací.

Este letrado Caamal, a saber, fue hecho príncipe de Sisal, en Zací, y lo nombraron Don Juan Caamal de la Cruz porque hablaba muy verdaderamente. Fue el primero que adoró la cruz en Cauacá y tenía muchas palabras para los señores extranjeros. Y, a saber, luego que fue entrado en el principado de Sisal, estuvo muchos días fijo en su cacicazgo cuando murió. Él, también, guió el camino de los españoles cuando le hicieron la guerra a los cochuahes. Los señores extranjeros estuvieron, a saber, un año aposentados en Cauacá y partieron y vinieron a Zací para siempre y encerraron a los hombres en la prisión para que lo viera el príncipe Caamal.

A saber, en 1545 años se aposentaron los señores extranjeros en Zací y también este año comenzó el cristianismo por los padres de la orden de San Francisco, en la puerta del mar de Champotón. Allí fue donde primero llegaron los padres que empuñaban a nuestro redentor Jesucristo en sus manos, y así lo mostraban a los hombres esclavizados cuando primero vinieron a la puerta del mar de Champotón, a saber, al poniente de esta provincia nombrada Ichcanzihoo.

Y, a saber, los nombres de estos padres que comenzaron el cristianismo aquí, en la tierra, en la comarca de Yucatán fueron, a saber, por sus nombres: Fray Juan de la Puerta y Fray Luis de Villalpando y Fray Diego de Becal y Fray Juan de Guerrero y Fray Melchor de Benavente. Ellos fueron los que comenzaron el cristianismo aquí, al poniente de la región, cuando aún no venía el cristianismo aquí, a los cupules. Estábamos atrasados de que viniera el cristianismo, así como se dice, y fue cuando comenzó en nosotros, aquí, en los cupules . . . [9]

[9] Fragmento tomado de la *Crónica de Chac-Xulub-Chen*, por Ah Nakuk Pech, versión de Héctor Pérez Martínez. Ed. cit., pp. 189-193.

4. HERNÁN CORTÉS ENTRE LOS
CHONTALES (1525)

Los chontales de la región de Acalan, en las costas del Golfo de México, gente asimismo de la familia mayance, dejaron un interesante documento en el que se habla del paso de Hernán Cortés en su expedición a las Hibueras. Siguiendo el texto de una antigua versión preparada a principios del siglo XVII, se ofrece aquí el pasaje más interesante de esta crónica: el referente a la muerte de Cuauhtémoc, de quien se dice allí que invitó a los señores chontales a hacer frente a los hombres de Castilla.

Vinieron los españoles a esta tierra en el año de mil quinientos veinte y siete.* El capitán se llamaba Don Martín Cortés. Entraron por Tanocic y pasaron por el pueblo de Taxich y salieron al principio de la tierra de Xacchute y llegaron a proveerse en el pueblo de Taxahhaa. Y estando allí con toda su gente, enviaron a llamar a Paxbolonacha, rey, que ya dijimos, el cual recogió todos sus principales de todos sus pueblos, del pueblo de Taxunum y los principales del pueblo de Chabte y los principales del pueblo de Atapan y los principales del pueblo de Tatzanto, porque no se podía hacer cosa alguna sin dar parte a los principales. Comunicó lo que se había de tratar del caso... los cuales dijeron no convenía fuese su rey al llamado de los españoles porque no sabían lo que querían.

Entonces se levantó y dijo uno de los principales, llamado Chocpaloquem: "Rey y señor, está tú en tu reino y ciudad, que yo quiero ir a ver lo que quieren los españoles." Y así fue con los demás principales, que se llamaban Pazinchiquigua y Paxguaapuc y Paxchagchan, compañeros de Paloquem, en nombre del rey. Y llega-

* Así el texto; en realidad, 1525.

dos ante el Capitán del Valle, español, y de los españoles, éstos no les creyeron, porque debía de haber entre ellos quien les dijese que no venía allí el rey a quien llamaban. Y así les dijo el capitán: "Venga el rey, que lo quiero ver, que no vengo a guerras ni a hacerle mal, que no quiero sino pasar a ver tierra, cuanta hay que ver, que yo le haré mucho bien si él me recibe bien."

Y habiéndolo entendido los que venían en nombre del rey, se volvieron y dijeron a Paxbolonacha, su rey, que estaba en el pueblo aguardando; los cuales llegados, se recogieron todos los principales y les dijo: "Quiero irme a ver con el capitán y españoles, que les quiero ver y saber qué quieren y a qué han venido." Y así fue Paxbolonacha.

Sabido por los españoles, le salieron a recibir, y el Capitán del Valle con ellos. Y les llevaron muchos presentes de miel, gallinas de la tierra, maíz, copal y mucha fruta. Y dijo el capitán: "Rey Paxbolon, aquí he venido a tus tierras, que soy enviado por el señor del mundo, emperador, que está en su trono en Castilla, que me envía a ver la tierra y de qué gente está poblada; que no vengo a guerras, que sólo te pido me despaches para Ulúa, que es México, y la tierra donde se coge la plata y la plumería y el cacao, que eso quiero ir a ver." Y así le respondió que mucho enhorabuena le daría paso, y que se fuese con él, a su ciudad y tierra y que allí tratarían lo que más convenía. Y respondióle el capitán que descansase, que así haría. Y antes estuvieron veinte días descansando.

Y estaba allí Quatémuc, rey de Nueva España, que venía con el capitán de México; el cual habló con Paxbolonacha rey: "Señor rey, estos españoles, vendrá tiempo que nos den mucho trabajo y nos hagan mucho mal y que matarán nuestros pueblos. Yo soy de parecer que los matemos, que yo traigo mucha gente y vosotros sois muchos." Y esto dijo Quatemuco a Paxbolonacha, rey de los indios de Magtunes Chontales. Oído por él esta razón, le respondió: "Veréme en ello. Dejadlo ahora, que trataremos de ello." Y pensando sobre el caso, vio que los españoles no hacían malos tratamientos, ni a ningún indio habían muerto ni aporreado, y que no les pedían sino miel, gallinas y maíz y demás frutas que les daban cada día, y considerando que pues no les hacían mal, no podía tener dos rostros con ellos ni enseñar dos corazones a los españoles. Y Quatémuc le estaba siempre importunando con ello porque los quisiera matar a todos los españoles; y visto e importunado Paxbolonacha se fue el Capitán del Valle y le dijo, "Señor Capitán del Valle, este principal y capitán de los mexicanos que traes, anda con cuidado con él no te haga alguna traición, porque tres o cuatro veces me ha tratado que os matemos." Oído esto por el Capitán del Valle, prendió a Quatémuc y le echó en prisiones, y al tercer día que estuvo preso le sacaron y le bautizaron, y no se certifican si se le puso por nombre Don Juan o Don Fernando, y acabado de bautizarle, le cortaron la cabeza y fue clavada en una ceiba delante de la casa que había de los dioses en el pueblo de Yaxzam...[10]

5. LA CONQUISTA DE LOS QUICHÉS

Uno de los principales testimonios quichés acerca de la Conquista se conserva en el documento conocido como Títulos de la Casa Ixquin Nehaib, Señora del Territorio de Otzoyá, *redactado según parece a mediados del siglo* XVI. *De este testimonio transcribimos entre otras, la*

[10] Publicado por France V. Scholes y Ralph L. Roys, en *The Maya Chontal Indians of Acalan-Tixchel, op. cit.,* pp. 271-272.

parte que se refiere a la dramática lucha cuerpo a cuerpo entre el príncipe Tecum Umán y Pedro de Alvarado, Tonatiuh.

Luego en el año de mil y quinientos y veinte y cuatro vino el Adelantado Don Pedro Alvarado, después que había conquistado ya a México y todas aquellas tierras. Llegó al pueblo de Xetulul Hunbatz y conquistó las tierras, llegó al pueblo de Xetulul, donde estuvo el dicho Don Pedro de Alvarado Tunadiú,[11] tres meses conquistando toda esa costa.

Luego al cabo de este tiempo despacharon los de Xetulul un correo a este pueblo de Lahunqueh, avisando que venían acá ya los españoles conquistando. Y luego el cacique que estaba en este dicho pueblo de Lahunqueh, llamándose Galel Atzih Vinac Tierán, despachó otro correo a los de Chi Gumarcaah avisándoles también cómo venían ya los españoles a conquistarlos para que luego se apreviniesen y estuviesen armados. También despachó correo a otro cacique del pueblo de Sakpoliah, llamándose Galel Rokché Zaknoy Isuy. Otro correo también despachó a los caciques de Chi Gumarcaah, llamábase este correo Ucalechih, el que fue con la nueva al rey.

Luego el rey de Chi Gumarcaah despachó a un gran capitán llamádose Tecún-Tecum, nieto de Quicab, cacique... Y este capitán traía mucha gente de muchos pueblos, que eran por todos diez mil indios, todos con sus arcos y flechas, hondas, lanzas y otras armas con que venían armados. Y el capitán Tecum, antes de salir de su pueblo y delante de los caciques, mostró su valor y su ánimo y luego se puso alas con que volaba y por

[11] Tunadiú, corrupción de la voz náhuatl Tonatiuh, "el sol", apodo que desde un principio dieron los aztecas a Pedro de Alvarado.

los dos brazos y piernas venía lleno de plumería y traía puesta una corona, y en los pechos traía una esmeralda muy grande que parecía espejo, y otra traía en la frente y otra en la espalda. Venía muy galán. El cual capitán volaba como águila, era gran principal y gran nagual.

Vino el Adelantado Tunadiú a dormir a un sitio llamado Palahunoh, y antes de que el Adelantado viniese, fueron trece principales con más de cinco mil indios hasta un sitio llamado Chuabah. Allí hicieron un grandioso cerco de piedras porque no entrasen los españoles, y también hicieron muchísimos hoyos y zanjas muy grandes, cerrando los pasos y atajando el camino por donde habían de entrar los españoles, los cuales se estuvieron tres meses en Palahunoh, porque no podían entrar entre los indios, que eran muchos.

Y luego fue uno del pueblo de Ah Xepach, indio capitán hecho águila, con tres mil indios, a pelear con los españoles. A media noche fueron los indios y el capitán hecho águila de los indios llegó a querer matar al Adelantado Tunadiú, y no pudo matarlo porque lo defendía una niña muy blanca; ellos harto querían entrar, y así que veían a esta niña luego caían en tierra y no se podían levantar del suelo, y luego venían muchos pájaros sin pies, y estos pájaros tenían rodeada a esta niña.

Y querían los indios matar a la niña y estos pájaros sin pies la defendían y les quitaban la vista.

Estos indios que nunca pudieron matar al Tunadiú ni a la niña se volvieron y tornaron a enviar a otro indio capitán hecho rayo llamado Ixquín Ahpalotz Utzakibalhá, llamado Nehaib, y este Nehaib fue a donde estaban los españoles hecho rayo a querer matar al Adelantado. Y así que llegó, vido estar una paloma muy blanca encima de todos los españoles, que los estaba defendiendo, y que tornó a asegundar otra vez y se le apagó la vista y cayó en tierra y no podía levantarse. Otras tres veces embistió este capitán a los españoles hecho rayo y [otras] tantas veces se cegaba de los ojos y caía en tierra. Y como vido este capitán que no podían entrarles a los españoles, se volvió y dieron aviso a los caciques de Chi Gumarcaah diciéndoles cómo habían ido estos dos capitanes a ver si podían matar al Tunadiuh y que tenían la niña con los pájaros sin pies y la paloma, que los defendían a los españoles.

Y luego vino el Adelantado Don Pedro de Alvarado con todos sus soldados y entraron por Chuaraal. Traían doscientos indios tlaxcaltecas y taparon los hoyos y zanjas que habían hecho y pusieron los indios de Chuaraal, con lo cual los españoles mataron a todos los indios de Chuaraal que eran por todos tres mil los indios que mataron los españoles; los cuales traían atados a doscientos indios de Xetulul y más que no mataron de los de Charaal, y los fueron atando a todos y los fueron atormentando a todos para que les dijeran dónde tenían el oro.

Y vístose los indios atormentados les dijeron a los españoles que no les atormentaran más, que allí les tenían mucho oro, plata, diamantes y esmeraldas que les tenían los capitanes Nehaib Ixquín, Nehaib hecho águila y león. Y luego se dieron a los españoles y se quedaron con ellos, y este capitán Nehaib convidó a comer a todos los soldados españoles y les dieron de comer pájaros y huevos de la tierra.

Y luego al otro día envió un gran capitán llamado Tecum a llamar a los españoles diciéndoles que estaba muy picado porque le habían matado a tres mil de sus soldados valientes. Y así que supieron esta nueva los españoles, se levantaron y vieron que traía al indio capitán Ixquín Nehaib consigo y empezaron a pelear los españoles con el capitán Tecum. Y el Adelantado le dijo a este capitán Tecum que si quería darse por paz y por bien. Y le respondió el capitán Tecum que no quería, sino que quería el valor de los españoles.

Y luego empezaron a pelear los españoles con los diez mil indios que traía este capitán Tecum consigo. Y no hacían sino desviarse los unos de los otros, media legua que se apartaban luego se venían a encontrar. Pelearon tres horas y mataron los españoles a muchos indios. No hubo número de los que mataron, no murió ningún español, sólo los indios de los que traía el capitán Tecum y corría mucha sangre de todos los indios que mataron los españoles, y esto sucedió en Pachah.

Y luego el capitán Tecum alzó el vuelo, que venía hecho águila, lleno de plumas que nacían de sí mismo, no eran postizas. Traía alas que también nacían de su cuerpo y traía tres coronas puestas, una era de oro, otra de perlas y otra de diamantes y esmeraldas. El cual capitán Tecum venía de intento a matar al Tunadiú que venía a caballo y le dio al caballo por darle al Adelantado y le quitó la cabeza al caballo con una lanza. No era la lanza de hierro sino de espejuelos y por encanto hizo esto este capitán.

Y como vido que no había muerto el Adelantado sino el caballo, tornó a alzar el vuelo para arriba, para desde allí venir a matar al Adelantado. Entonces el Adelantado lo aguardó con su lanza y lo atravesó por el medio a este capitán Tecum.

Luego acudieron dos perros, no tenían pelo ninguno, eran pelones, cogieron estos perros a este dicho indio para hacerlo pedazos. Y como vido el Adelantado que era muy galán este indio y que traía estas tres coronas de oro, plata, diamantes y esmeraldas y de perlas, llegó a defenderlo de los perros, y lo estuvo mirando muy despacio. Venía lleno de quetzales y plumas muy lindas, que por esto le quedó el nombre a este pueblo de Quetzaltenango, porque aquí es donde sucedió la muerte de este capitán Tecum.

Y luego llamó el Adelantado a todos sus soldados a que viniesen a ver la belleza del quetzal indio. Luego dijo el Adelantado a sus soldados que no había visto otro indio tan galán y tan cacique y tan lleno de plumas de quetzales y tan lindas, que no había visto en México, ni en Tlaxcala, ni en ninguna parte de los pueblos que habían conquistado. Y por eso dijo el Adelantado que le quedaba el nombre de Quetzaltenango a este pueblo. Luego se le quedó por nombre Quetzaltenango a este pueblo.

Y como vieron los demás indios que habían matado los españoles a su capitán, se fueron huyendo. Y luego el Adelantado Don Pedro de Alvarado, viendo que huían los soldados de este capitán Tecum, dijo que también ellos habían de morir. Y luego fueron los soldados españoles detrás de los indios y les dieron alcance y a todos los mataron sin que quedara ninguno.

Eran tantos los indios que mataron, que se hizo un río de sangre, que viene a ser el Olintepeque. Por eso le quedó el nombre de Quiquel, porque toda el agua venía hecha sangre y también el día se volvió colorado por la mucha sangre que hubo aquel día.

Luego, así que acabaron con la batalla de los indios, los españoles se volvieron a este pueblo de Quetzaltenango a descansar y a comer. Después de haber descansado los españoles, fue un principal de este pueblo de Quetzaltenango a ver al Adelantado. Llamábase el cacique Don Francisco Calel Atzih Uinac Tierán, y otro Don Noxorio Cortés Galel Atzih Uinac Rokché, y el otro cacique llamado Don Francisco Izquín, y otro cacique Don Juan Izquín, y otro principal Don Andrés Galel Ahau y otro cacique Don Diego Pérez. Estos seis caciques principales ya estaban bautizados, que luego los mandó bautizar el Adelantado Don Pedro, y les puso el nombre de cada uno de estos principales.

Estos cuatro caciques fueron los primeros que se bautizaron, que eran los cabezas de calpul del pueblo de Quetzaltenango. En agradecimiento del bien que les había hecho el Adelantado, fueron estos seis caciques y le llevaron de presente mucho oro, perlas, esmeraldas y diamantes, y el Adelantado se los agradeció mucho y les fue poniendo a todos su Don y les dijo que ellos eran los principales de este pueblo y luego les puso zapatos a cada uno de estos seis principales el Adelantado y también los vistió a uso español y luego les dijo que había que enviar a aquel oro que le habían presentado a Don Carlos Quinto, Emperador de Castilla...[12]

6. LA VERSIÓN CAKCHIQUEL DE LA CONQUISTA

El grupo cakchiquel, que en un principio recibió pacíficamente a los conquistadores, tuvo al fin que rebelarse contra ellos, cansado ya de las vejaciones de los mismos. Los cakchiqueles pusieron por escrito después de la Conquista sus mitos e historias e incluyeron, en una especie de segunda parte, la historia de la llegada de los hombres de Castilla. Damos, en la versión de Adrián Recinos, el testimonio cakchiquel, desde la llegada de Alvarado, Tonatiuh, hasta lo sucedido a mediados de 1541.

Durante este año llegaron los castellanos. Hace cuarenta y nueve años que llegaron los castellanos a Xepit y Xetulul.

El día 1 Ganel [20 de febrero de 1524] fueron destrui-

[12] Títulos de la Casa Ixquin-Nehaib, Señora del Territorio de Otzoyá, en *Crónicas Indígenas de Guatemala*, Editorial Universitaria, Guatemala 1957, pp. 85-92.

dos los quichés por los castellanos. Su jefe, el llamado Tunatiuh Avilantaro, conquistó todos los pueblos. Hasta entonces no eran conocidas sus caras. Hasta hacía poco se rendía culto a la madera y la piedra.

Derrota de los quichés

Habiendo llegado a Xelahub, derrotaron allí a los quichés; fueron exterminados todos los quichés que habían salido al encuentro de los castellanos. Entonces fueron destruidos los quichés frente a Xelahub.

Luego salieron [los españoles] para la ciudad de Gumarcaah, donde fueron recibidos por los reyes, el Ahpop y el Ahpop Qamahay, y los quichés les pagaron el tributo. Pronto fueron sometidos los reyes a tormento por Tunatiuh.

El día 4 Qat [7 de marzo de 1524] los reyes Ahpop y Ahpop Qamahay fueron quemados por Tunatiuh. No tenía compasión por la gente el corazón de Tunatiuh durante la guerra.

En seguida llegó un mensajero de Tunatiuh ante los reyes (cakchiqueles) para que le enviaran soldados: "Que vengan los guerreros del Ahpozotzil y el Ahpoxahil a matar a los quichés", dijo a los reyes el mensajero. La orden de Tunatiuh fue obedecida al instante y dos mil soldados marcharon a la matanza de los quichés. Únicamente partieron los hombres de la ciudad; los demás guerreros no bajaron a presentarse ante los reyes. Sólo tres veces fueron los soldados a recoger el tributo de los quichés. Nosotros también fuimos a recibirlo para Tunatiuh, ¡oh hijos míos!

Llegada de Tunatiuh a la capital de los cakchiqueles

El día 1 Hunahpú [12 de abril de 1524] llegaron los castellanos a la ciudad de Yximchée; su jefe se llamaba

Tunatiuh. Los reyes Belehé Qat y Cahí Ymox salieron al punto a encontrar a Tunatiuh. El corazón de Tunatiuh estaba bien dispuesto para con los reyes cuando llegó a la ciudad. No había habido lucha y Tunatiuh estaba contento cuando llegó a Yximchée. De esta manera llegaron antaño los castellanos, ¡oh hijos míos! En verdad infundían miedo cuando llegaron. Sus caras eran extrañas. Los Señores los tomaron por dioses. Nosotros mismos, vuestro padre, fuimos a verlos cuando entraron a Yximchée.

Tunatiuh durmió en la casa de Tzupam. Al siguiente día apareció el jefe, causando terror a los guerreros, y se dirigió a la residencia donde se encontraban los reyes. "¿Por qué me hacéis la guerra a mí cuando yo os la puedo hacer a vosotros?", dijo. Y los reyes contestaron: "No hay tal, porque de esa manera morirían muchos hombres. Allí has visto cómo están sus despojos en los barrancos". Y en seguida entró a la casa del Señor Chicbal.

Luego preguntó Tunatiuh a los reyes qué enemigos tenían. Los reyes contestaron: "Dos son nuestros enemigos, ¡oh dios! los zutujiles y [los de] Panatacat. Así les dijeron los reyes. Apenas cinco días después salió Tunatiuh de la ciudad.

Conquista de los zutujiles y de Cuzcatán

Los zutujiles fueron conquistados en seguida por los castellanos. El día 7 Camey [18 de abril de 1524] fueron destruidos los zutujiles por Tunatiuh.

Veinticinco días después de haber llegado a la ciudad [Yximchée] partió Tunatiuh para Cuzcatán, destruyendo de paso a Atacat. El día 2 Queh [9 de mayo] los castellanos mataron a los de Atacat. Todos los guerreros y sus mexicanos fueron con Tunatiuh a la conquista

El día 10 Hunahpú [21 de julio de 1524] llegó [a Yximchée] de regreso de Cuzcatán; hacía dos meses que había salido para Cuzcatán cuando llegó a la ciudad. Tunatiuh pidió entonces a una de las hijas del rey y los Señores se la dieron a Tunatiuh.

La codicia del oro

Luego Tunatiuh les pidió dinero a los reyes. Quería que le dieran montones de metal, sus vasijas y coronas. Y como no se las trajesen inmediatamente, Tunatiuh se enojó con los reyes y les dijo: "¿Por qué no me habéis traído el metal? Si no traéis con vosotros todo el dinero de las tribus, os quemaré y os ahorcaré", les dijo a los Señores.

En seguida los sentenció Tunatiuh a pagar mil doscientos pesos de oro. Los reyes trataron de obtener una rebaja y se echaron a llorar, pero Tunatiuh no consintió y les dijo: "Conseguid el metal y traedlo dentro de cinco días. ¡Ay de vosotros si no lo traéis! ¡Yo conozco mi corazón!" Así les dijo a los Señores.

Habían entregado ya la mitad del dinero a Tunatiuh cuando se presentó un hombre, agente del "demonio", quien dijo a los reyes: "Yo soy el rayo. Yo mataré a los castellanos; por el fuego perecerán. Cuando yo toque el tambor salgan [todos] de la ciudad, que se vayan los Señores al otro lado del río. Esto haré el día 7 Ahmak [26 de agosto de 1524]". Así habló aquel "demonio" a los Señores. Y, efectivamente, los Señores creyeron que debían acatar las órdenes de aquel hombre. Ya se había entregado la mitad del dinero cuando nos escapamos.

Los cakchiqueles atacan a los castellanos

El día 7 Ahmak pusimos en ejecución nuestra fuga. Entonces abandonamos la ciudad de Yximchée, a causa del hombre demonio. Después salieron los reyes. "Ciertamente morirá al punto Tunatiuh", dijeron. "Ya no hay guerra en el corazón de Tunatiuh, ahora está contento con el metal que se le ha dado."

Así fue cómo, a causa del hombre-demonio, abandonamos entonces nuestra ciudad el día 7 Ahmak, ¡oh hijos míos!

Pero Tunatiuh supo lo que habían hecho los reyes. Diez días después que nos fugamos de la ciudad, Tunatiuh comenzó a hacernos la guerra. El día 4 Camey [5 de septiembre de 1524] comenzaron a hacernos sufrir. Nosotros nos dispersamos bajo los árboles, bajo los bejucos, ¡oh hijos míos! Todas nuestras tribus entraron en lucha con Tunatiuh. Los castellanos comenzaron en seguida a marcharse, salieron de la ciudad, dejándola desierta.

En seguida comenzaron los cakchiqueles a hostilizar a los castellanos. Abrieron pozos y hoyos para los caballos y sembraron estacas agudas para que se mataran. Al mismo tiempo la gente les hacía la guerra. Muchos castellanos perecieron y los caballos murieron en las trampas para caballos. Murieron también los quichés y los zutujiles; de esta manera fueron destruidos todos los pueblos por los cakchiqueles. Sólo así los dejaron respirar los castellanos, y así también les concedieron [a éstos] una tregua todas las tribus.

El noveno mes después de nuestra huida de Yximchée se cumplieron 29 años.

El día 2 Ah [19 de febrero de 1525] se cumplió el vigésimonono año después de la "revolución".[13]

Durante el décimo año [del segundo ciclo] continuó

[13] Se alude aquí y en otros lugares de este texto a un célebre levantamiento instigado antes de la venida de los españoles en 1493 por Cay Hunahpú y su gente, los tukuchées, quienes fueron derrotados por los señores cakchiqueles.

la guerra con los castellanos. Los castellanos se habían trasladado a Xepau. Desde allí, durante el décimo año, nos dieron la guerra y mataron a los hombres valientes.

Luego salió Tunatiuh de Xepau y comenzó a hostilizarnos porque la gente no se humillaba ante él. Habían transcurrido seis meses del segundo año de nuestra huida de la ciudad [o sea de] cuando la abandonamos y nos fuimos, cuando llegó a ella de paso Tunatiuh y la quemó. El día 4 Camey [7 de febrero de 1526] incendió la ciudad; a los seis meses del segundo año de la guerra lo ejecutó y se marchó de regreso.

El día 22 Ah [26 de marzo de 1526] se cumplió el 30 año de la revolución.

Durante el transcurso de este año tuvo algún descanso nuestro corazón. Igualmente lo tuvieron los reyes Cahí Ymox y Belehé Qat. No nos sometimos a los castellanos y estuvimos viviendo en Holom Balam, ¡oh hijos míos!

Un año y un mes habían pasado desde que Tunatiuh arrasó [la ciudad], cuando llegaron los castellanos a Chij Xot. El día 1 Caok [27 de marzo de 1527] comenzó nuestra matanza por parte de los castellanos. Fueron combatidos por la gente y siguieron haciendo una guerra prolongada. La muerte nos hirió nuevamente, pero ninguno de los pueblos pagó el tributo. Poco faltaba para que se cumplieran treinta y un años desde la revolución cuando llegaron a Chij Xot.

El día 9 Ah [30 de abril de 1527] se cumplieron treinta y un años de la revolución.

Durante este año, mientras estábamos ocupados en la guerra con los castellanos, abandonaron éstos a Chij Xot y se fueron a vivir a Bulbuxyá.

Durante el año continuó la guerra. Y ninguno de los pueblos pagó el tributo.

Quince meses después de haber aparecido [los caste-
llanos] en Chij Xot se introdujo el tributo a favor del
Capitán [Alvarado] por Chintá Queh. Aquí en Tzololá,
el día 6 Tzíi [12 de enero de 1528], fue introducido el
tributo.

Entonces nació mi hijo Diego. Nos hallábamos en
Bocó [Chimaltenango], cuando naciste el día 6 Tzíi, ¡oh
hijo mío! Entonces se comenzó a pagar el tributo. Hondas penas pasamos para librarnos de la guerra. Dos
veces estuvimos en gran peligro de muerte.

El día 6 Ah [3 de junio de 1528] se cumplieron
treinta y dos años desde la revolución.

A los ocho meses del segundo año desde la introducción del tributo, murió el jefe Ahtún Cuc Tihax. Murió
el día 6 Akbal [28 de junio de 1529]. El Ahpozotzil y el
Ahpoxahil no se habían presentado todavía.

El día 3 Ah [8 de julio de 1529] se cumplieron treinta y tres años.

Durante el curso de este año se presentaron los reyes
Ahpozotzil y Ahpoxahil ante Tunatiuh. Cinco años y
cuatro meses estuvieron los reyes bajo los árboles, bajo
los bejucos. No se fueron los reyes por su gusto; dispuestos estaban a sufrir la muerte por parte de Tunatiuh.
Pero sus noticias llegaron hasta Tunatiuh. Y así, el día
7 Ahmak [7 de mayo de 1530] salieron los reyes y se
dirigieron a Paruyaal Chay. Numerosos Señores se le
unieron. Los nietos de los jefes, los hijos de los jefes,
gran número de gente, fuerón a acompañar a los reyes.
El día 8 Noh [8 de mayo] llegaron a Panchoy. Tunatiuh
se llenó de alegría ante los jefes cuando volvió a verles
las caras.

El día 13 Ah [12 de agosto de 1530] se cumplieron
treinta y cuatro años desde la revolución.

Durante este año se impusieron terribles tributos. Se tributó oro a Tunatiuh; se le tributaron cuatrocientos hombres y cuatrocientas mujeres para ir a lavar oro. Toda la gente extraía el oro. Se tributaban cuatrocientos hombres y cuatrocientas mujeres para trabajar en Pangán por orden de Tunatiuh en la construcción de la ciudad del Señor. Todo esto, todo, lo vimos nosotros, ¡oh hijos míos!

El día 10 Ah [16 de septiembre de 1531] se cumplieron treinta y cinco años desde la revolución.

Tunatiuh impone rey a los cakchiqueles

Durante los dos meses del tercer año transcurrido desde que se presentaron los Señores, murió el rey Belehé Qat; murió el día 7 Queh [24 de septiembre de 1532], cuando estaba ocupado en lavar oro. Después de la muerte del rey vino aquí inmediatamente Tunatiuh a poner al sucesor del rey. En seguida fue instalado el Señor Don Jorge en el gobierno por la sola orden de Tunatiuh. No hubo elección de la comunidad para nombrarlo. En seguida les habló Tunatiuh a los Señores y sus órdenes fueron obedecidas por los jefes, porque en verdad le temían a Tunatiuh.

El día 7 Ah [20 de octubre de 1532] se cumplió el 36 año después de la revolución.

Diecisiete meses después de la muerte de Belhé Qat los Señores tuvieron que reconocer como rey a Don Jorge, el padre de Don Juan Xuárez.

El día 4 Ah [24 de noviembre de 1533] se cumplió el 37 año de la revolución.

Durante este año se retiró el rey Cahí Ymox, Ahpozotzil, y se fue a vivir a la ciudad. Le vino al rey el deseo de separarse porque se impuso a los Señores el tributo lo mismo que a todo el mundo y, en consecuencia, tenía que pagarlo el rey.

El día 1 Ah [29 de diciembre de 1534] terminó el 38 año desde la revolución.

Partida de Tunatiuh

Durante el transcurso de este año partió Tunatiuh para Castilla haciendo nuevas conquistas en el camino. Entonces destruyó a los de Tzutzumpan y los de Choloma. Muchos pueblos fue a destruir y a conquistar Tunatiuh.

Una cosa notable ocurrió cuando él estaba en Tzutzumpan. Yo oí retumbar a Hunahpú.[14] No había venido el Señor Mantunalo cuando se fue Tunatiuh para Castilla: rápidamente salió para Tzutzumpan.

. . . .

Regreso de Tunatiuh

Antes de que terminara el segundo año del tercer ciclo [antes del año 42 después de la revolución], fueron a recibir al Señor Tunatiuh a "Porto Cavayo", cuando desembarcó Tunatiuh después de haber ido a Castilla. Uno de los Señores fue a recibirlo. Nosotros también fuimos allá ¡oh hijos míos! Entonces hirieron al Ahtzib Caok por cosas de su parcialidad. El día 11 Ahmak [30 de abril de 1539] hirieron al Ahtzib.

El día 2 Ah [17 de mayo de 1539] se cumplió el 42 año de la revolución.

Seis meses después de la muerte del Ahtzib llegó Tunatiuh a Panchoy, y en seguida partió el Señor Mantunalo. Cuando éste se fue, le sucedió Tunatiuh.

[14] Nombre dado al Volcán del agua.

Trece meses después de la llegada de Tunatiuh fue ahorcado el rey Ahpozotzil Cahí Ymox. El día 13 Ganel [26 de mayo de 1540] fue ahorcado por Tunatiuh en unión de Quiyavit Caok.

El día 12 Ah [20 de junio de 1540] se cumplió el 43 año de la revolución.

Catorce meses después de haber sido ahorcado el rey Ahpozotzil, ahorcaron a Chuuy Tziquinú, jefe de la ciudad, porque estaban enfadados. El día 4 Can [27 de febrero de 1541] lo ahorcaron en Paxayá. Lo condujeron por el camino y lo ahorcaron secretamente.

Diecisiete días después de haber sido ahorcado el Señor, de haber ahorcado a Chuuy Tziquinú, el día 8 Iq [16 de marzo de 1541] fue ahorcado el Señor Chicbal junto con Nimabah Quehchún, pero esto no lo hizo Tunatiuh, que entonces ya se había marchado para Xuchipillan. El teniente de Tunatiuh los ahorcó. Don Francisco hizo la ejecución.

Cinco meses después de haber sido ahorcado el Señor Chicbal llegó la noticia de que Tunatiuh había ido a morir a Xuchipillan.

El día 9 Ah [25 de julio de 1541] se cumplió el 44 año de la revolución.

Durante el año hubo un gran derrumbe, en el cual murieron los castellanos en Panchoy. El día 2 Tihax [10 de septiembre de 1541] se derrumbó el Volcán Hunahpú, el agua brotó del interior del volcán, murieron y perecieron los castellanos y pereció la mujer de Tunatiuh.[15]

[15] *Memorial de Sololá, Anales de los Cakchiqueles,* traducción de Adrián Recinos, Ed. cit., pp. 124-138.

III

MEMORIA QUECHUA DE LA CONQUISTA

INTRODUCCIÓN

La secuencia de los hechos

Como en el caso de la nación azteca, la conquista del gran estado quechua, del "imperio de los incas" como ordinariamente se le llama, fue sin duda una proeza extraordinaria. Los incas, al igual que los mayas y los aztecas, eran también herederos de una cultura milenaria. Su postrer desarrollo político y económico curiosamente coincide también en el tiempo, con el esplendor de los aztecas, el otro "Pueblo del Sol".

Poco antes de la muerte del Inca Huayna Cápac, el padre de Huáscar y Atahualpa, acaecida hacia 1525, sus dominios de cerca de un millón de kilómetros cuadrados se extendían desde la frontera de la actual Colombia hasta algunas porciones del norte de Chile y de la actual República Argentina. De un extremo al otro había cerca de cuatro mil kilómetros, comunicados en buena parte por los famosos caminos del incario. El Tahuantinsuyu, "la tierra de los cuatro cuadrantes o rumbos del mundo", había alcanzado extraordinaria prosperidad, gracias a una rígida administración política y económica, que tenía como "ombligo" o centro al Cuzco. Su riqueza era proverbial. Los conquistadores españoles bien pronto habrían de tener noticia de ella.

El primer español que entró en contacto con los quechuas fue un náufrago de nombre Alejo García, que apareció poco antes de la muerte de Huayna Cápac con un grupo de indígenas chiriguanás del Paraguay. Su presencia, sin embargo, no tuvo mayores consecuencias. Del norte, en cambio, empezaban a llegar rumores insistentes acerca de la presencia de los hombres blancos. De Panamá habrían de venir los conquistadores.

Para fortuna de éstos, la muerte de Huayna Cápac iba a tener como consecuencia la división del estado incaico y la guerra a muerte entre Huáscar, el legítimo, y Atahualpa, que residía en Quito. En tanto que Francisco Pizarro, Diego de Almagro y el clérigo Hernando de Luque organizaban en Panamá sus primeras expediciones, Huáscar y Atahualpa luchaban entre sí. Huáscar había salido del Cuzco, marchando hacia el norte para presentar batalla a Atahualpa. El primer encuentro tuvo lugar en Riobamba. Atahualpa, gracias a la destreza de sus generales Quizquiz y Calcuchima, pudo derrotar a las tropas de Huáscar. Hubo otras varias batallas. La última ocurrió en Cotabamba, junto al río Apurímac, no muy lejos de la gran capital incaica. Calcuchima se apoderó allí de Huáscar, quien desde ese momento quedó prisionero de su hermano Atahualpa.

Francisco Pizarro y Diego de Almagro habían emprendido ya su primera y segunda expedición en busca del país del oro. La primera, efectuada a fines de 1524, había permitido a Pizarro explorar el río Virú y confirmarse en cierto grado de la riqueza de las nuevas tierras. La segunda, realizada con la ayuda del piloto Bartolomé Ruiz, tuvo consecuencias decisivas. Ruiz descubrió la isla del Gallo, en donde pudo ver gente que comerciaba en objetos de oro y tejidos. Más tarde hizo varios prisioneros, algunos de los cuales habrían de desempeñar después importante papel como intérpretes.

Mientras Almagro regresaba a Panamá para dar testimonio de las riquezas de esas tierras del sur, la voluntad de Pizarro se impuso en la isla del Gallo. Con el grupo de audaces que decidió seguirlo, reconoció el Golfo de Guayaquil y continuó por la costa hacia el sur hasta llegar a la ciudad de Túmbez. Allí obtuvo información sobre el estado incaico y aun probablemente acerca de las luchas internas en que se debatía.

Al fin hubo de regresar a Panamá con intención de organizar la expedición definitiva de Conquista. En 1528 se trasladó a España para obtener directamente del Emperador Carlos V licencia para emprenderla. En julio de 1529 Pizarro firmaba las Capitulaciones por las cuales se le encomendaba "continuar el descubrimiento, la conquista y población de la dicha provincia del Perú". En 1530 regresaba a Panamá, acompañado de sus hermanos, Hernando, Gonzalo y Juan. Cuando Almagro conoció las Capitulaciones y vio por ellas que en realidad la empresa estaba al mando de Pizarro, quedó en él la semilla del odio que habría de fructificar más tarde.

Algún tiempo después tres embarcaciones zarpaban de Panamá rumbo a Túmbez. El 13 de mayo de 1532 Pizarro y Almagro desembarcaron con algo más de doscientos hombres. Túmbez estaba abandonada. Huáscar era ya prisionero de Atahualpa, quien pronto tuvo noticia de la llegada de los hombres blancos. Como en el caso de los aztecas, Atahualpa creyó en un principio que se trataba del regreso de los dioses, el retorno de Huiracocha.

Esta creencia movió a Atahualpa, que se encontraba en Cajamarca, a posponer su partida al Cuzco. El Inca, como Motecuhzoma, envió observadores y mensajeros. Supo que los blancos habían estrangulado a varios caciques y que habían fundado después la población de San Miguel. Finalmente tuvo conocimiento de que cinco meses más tarde los huiracochas se dirigían hacia la cordillera, para tratar de llegar a Cajamarca. En realidad eran sólo unos cuantos. Setenta y dos hombres montados en bestias extrañas y noventa y seis gentes de a pie. Probablemente Atahualpa, oscilando entre el temor, la curiosidad y la duda, optó por permitir el avance de los forasteros. Al menos podía confiar en los cerca de cuarenta mil hombres armados que, según parece, tenía en ese momento bajo su mando.

Un mensajero del Inca se encontró una vez más con los conquistadores. Al igual que en el caso de la conquista de México, hubo intercambio de presentes. Los españoles siguieron adelante. Casi dos meses después llegaban a Cajamarca. Por fin el 15 de noviembre de 1532 entraban en la ciudad, que estaba desierta. Fuera de ella, en la llanura, estaba desplegado el ejército del Inca con sus tiendas y fogatas.

Al día siguiente Atahualpa decidió entrevistarse con los forasteros. La ciudad estaba rodeada por sus hombres. El Inca, acompañado de su séquito, sentado en su litera, defendido por sus nobles más cercanos, los célebres "orejones", entró en la plaza de Cajamarca. Los españoles, entretanto, se habían apostado en los lugares más adecuados en espera de lo que pudiera acontecer. En el pensamiento de Pizarro estaba la idea de hacer prisionero al Inca por sorpresa.

Lo que sucedió en esos momentos lo refieren los varios cronistas españoles, testigos de vista, como Francisco de Jerez, pero también lo relatan a su modo los historiadores indígenas, principalmente el célebre Guamán Poma de Ayala. Por medio del intérprete, Felipillo, indio guancabilca, que acompañaba a los españoles desde su segunda expedición, habló Pizarro con el Inca. Le hizo saber que era embajador de un gran señor; que debía ser su amigo. El Inca respondió con majestad y dijo que creía que venía enviado por un gran señor, "pero que no tenía que hacer amistad, que también él era un gran señor en su reino". Habló entonces fray Vicente de Valverde con una cruz en la derecha y en la izquierda el breviario. Por su parte, le conminó a adorar a Dios y a la cruz y al Evangelio, "porque todo lo demás era cosa de burla". Atahualpa respondió que él "no adoraba sino al Sol que nunca muere y a sus dioses que también tenía en su ley". Preguntó luego el Inca a fray Vicente quién le había enseñado la doctrina que predicaba. A estas palabras respondió el fraile que lo que él enseñaba se lo había dicho el Evangelio. Atahualpa pidió entonces el libro, diciendo: "Dámelo a mí, el libro, para que me lo diga." Acto seguido se puso a hojear el libro. Dijo luego "no me lo dice, ni me habla a mí el dicho libro" y, como escribe el cronista Guamán Poma, "con grande majestad, echó el dicho libro de las manos".

Al ver esto fray Vicente exclamó a voces: "¡Aquí, caballeros, con estos indios gentiles, son contra nuestra fe!" Esta fue la señal de ataque. La caballería se lanzó sobre la gente de Atahualpa; los arcabuces causaron pavor y estrago en los indios. En medio de la confusión Atahualpa fue hecho prisionero. Según el testimonio indígena, "murieron mucha gente de indios que no se pudo contar". Al anochecer el Inca Atahualpa, que contaba entonces algo más de treinta años, estaba ya a merced de los extraños forasteros.

En su desgracia, Atahualpa tomó dos determinaciones de suma importancia: sospechando que posiblemente Pizarro tramaría ceder el trono a su hermano Huáscar, ordenó que fuera éste ejecutado de inmediato; conociendo, por otra parte, la sed de oro que atormentaba a los conquistadores, ofreció pagar como rescate de su libertad todo el metal precioso que cupiera en el aposento que le servía de prisión hasta la altura que pudiera alcanzar un hombre.

Aceptado esto por Pizarro, Atahualpa mandó traer objetos de oro de todos los rumbos del estado incaico. La habitación se llenó hasta la altura en que se había convenido. A pesar de haberse pagado así el rescate, Pizarro consideró que para someter del todo a los indios era necesario deshacerse de Atahualpa. Se le acusó entonces de haber dado muerte a su hermano Huáscar. Se acumularon varios cargos: idolatría, adulterio, relaciones incestuosas con su hermana y otros más. Atahualpa fue condenado a ser quemado vivo. Unos pocos de los conquistadores se opusieron a esta farsa de juicio. Fray Vicente de Valverde obtuvo la promesa de que, si Atahualpa se dejaba bautizar, la pena de la hoguera le sería conmutada por la del garrote. El 29 de agosto de 1533 el Inca Atahualpa moría ajusticiado.

El imperio de los incas sucumbía así en apariencia como un castillo de naipes. Sin embargo, la resistencia habría de continuar. En realidad fueron los quechuas los únicos que en la Conquista de los grandes estados de la América precolombina habrían de mantenerse en pie de lucha por cerca de cuarenta años.

Los españoles se esforzaron por consolidar y extender sus conquistas. Marcharon hacia el sur y el 15 de noviembre del mismo año entraron en la gran ciudad de Cuzco, que fue saqueada por completo.

La intempestiva llegada de Pedro de Alvarado por el norte, a principios de 1534, vino a crear problemas a los conquistadores del Perú. El Tonatiuh de la conquista de México y Guatemala había tenido noticias del oro de las nuevas tierras descubiertas. Su propósito era adueñarse del reino de Quito. Almagro salió a su encuentro y, después de algunas escaramuzas, convenció a Alvarado de que lo mejor para él sería abandonar esta empresa. Sin duda ayudó a persuadirlo la entrega de una fuerte cantidad en oro con la condición de que habría de dejar parte de sus fuerzas y el armamento que traía consigo.

Para apaciguar a los quechuas y hacer más fácil su gobierno los españoles coronaron en 1535 como Inca a Manco II, hijo del padre de Atahualpa y medio hermano de éste. Ese mismo año Pizarro fundaba la Ciudad de los Reyes, Lima, como nueva capital del Perú.

Bien pronto Manco II no pudo soportar las crueldades y exacciones de los conquistadores. Haciendo a un lado su tutelaje, se rebeló contra ellos. El pueblo quechua se sublevó por todas partes. Lima fue atacada y al igual que ella la ciudad del Cuzco. Los hispanos estuvieron a punto de ser vencidos. En la defensa pereció Juan Pizarro y puede afirmarse que sólo por milagro lograron vencer los españoles a los incas. Manco II decidió entonces establecer la sede del nuevo estado inca en Vilcabamba, situada en la vertiente oriental de los Andes, dentro de un gran triángulo formado por los ríos Apurímac, Urubamba y Vilcamayo. Desde allí, sus tropas hacían continuas salidas para atacar a los conquistadores. Manco II y su gente se adueñaron de caballos, hicieron prisioneros y esclavos a algunos españoles y llegaron a poseer cañones y otras armas de fuego.

Entretanto, las rivalidades entre los Pizarro y Almagro se recrudecieron. Francisco Pizarro había logrado persuadir a Almagro a emprender la conquista de Chile. Éste, sin embargo, regresó desengañado para dar principio a su lucha a muerte contra su antiguo compañero de aventuras.

En junio de 1537 Almagro se adueñó del Cuzco e hizo prisioneros a Alonso y Hernando Pizarro. El año siguiente de 1538, después de una serie de luchas, Almagro era derrotado por Pizarro y condenado a muerte. Pero las luchas continuaron, Diego, el hijo de Almagro, asesinó a su vez a Francisco Pizarro, el 26 de junio de 1541. Las luchas entre los conquistadores parecían emular la discordia de los tiempos de Huáscar y Atahualpa.

Hacia 1545 murió Manco II y le sucedió su hijo Sayri Túpac, quien al fin, diez años más tarde, abandonó su fortaleza de Vilcabamba y se entregó a los españoles.

Sayri Túpac murió envenenado. Los quechuas coronaron entonces como Inca a su hermano Titu Cusi Yupanqui, quien recrudeció los ataques contra los españoles desde la inexpugnable Vilcabamba.

Por todos los medios trató el Virrey Francisco de Toledo, que gobernaba desde Lima, de someter al nuevo Inca. Viendo que las armas poco aprovechaban, envió numerosas embajadas. El Inca permitió la entrada de algunos frailes a Vilcabamba. Uno de éstos, el Padre Marcos García, transcribió las palabras dictadas directamente por Titu Cusi Yupanqui, redactando un memorial o instrucción en el que refiere el Inca los agravios que había sufrido su padre Manco II, así como las vejaciones de que había sido objeto su gente.

Esta crónica o memorial constituye precisamente otro de los testimonios indígenas acerca de la Conquista. Si bien es cierto que el fraile que recibía el dictado pudo añadir algo de su propia cosecha, en general puede afirmarse que este documento es reflejo fiel de la visión que tuvo el Inca acerca de la Conquista.

Poco tiempo después, hacia el año de 1569, Titu Cusi Yupanqui moría en Vilcabamba a consecuencia de una pulmonía. Le sucedió entonces en el mando su hermano Túpac Amaru, el último de los Incas. Los españoles decidieron apoderarse a como diera lugar de la fortaleza de Vilcabamba. Se aproximaron a ella por tres caminos distintos. Al fin encontraron a Túpac Amaru fuera de su reducto. El Inca huyó entonces por el río Vilcamayo. Alcanzado, fue hecho prisionero, llevado al Cuzco, juzgado sumariamente y ejecutado.

Con la muerte de Túpac Amaru, acaecida en 1572, concluía finalmente el señorío de los Incas y la conquista española quedaba consumada. El pueblo que en apariencia había sido vencido por sorpresa con la prisión y muerte de Atahualpa, había sabido resistir durante casi cuarenta años, oponiéndose con heroísmo y por todos los medios posibles a la dominación de los hombres blancos, a quienes en un principio había tenido por dioses.

A continuación veremos cuáles son los principales testimonios indígenas en los que puede estudiarse la visión de los vencidos quechuas.

Los testimonios quechuas de la Conquista

Menos abundantes que en el caso de los aztecas y los pueblos mayances son los testimonios que acerca de la Conquista nos dejaron algunos cronistas e historiadores indígenas del mundo incaico. Cuatro son los autores principales que escribieron durante la segunda mitad del siglo XVI y principios del XVII, además de algunos otros testimonios anónimos, entre los que se cuenta un drama en quechua acerca de la Conquista y algunos poemas y cantares indígenas en los que también puede estudiarse esta tercera "visión de los vencidos".

La más importante y auténtica relación indígena acerca de la conquista del Perú se debe probablemente al ya célebre Felipe Guamán Poma de Ayala. Descendiente de los señores de Allanca Huánuco, nació probablemente hacia 1526, ya que, según su propio testimonio, tenía 88 años de edad en el de 1614. Quechua de pura cepa, ostentó siempre al lado de su nombre cristiano los de Guamán (halcón) y Poma o Puma.

Andariego incansable y hombre de gran curiosidad, comenzó a escribir desde temprana edad su obra titulada *El Primer Nueva Corónica y Buen Gobierno*, extenso trabajo de 1179 páginas con cerca de 300 dibujos o ilustraciones. Su crónica, redactada en un castellano retorcido, lleno de errores gramaticales y con incontables términos y aun frases enteras en idioma quechua, resulta ciertamente de difícil lectura, aunque, eso sí, profundamente reveladora. Guamán Poma, como lo ha notado Raúl Porras Barrenechea, es en este sentido "el mayor exponente del indio posterior a la Conquista".[1]

El Primer Nueva Corónica y Buen Gobierno, verdadera enciclopedia del mundo quechua, habla, entre otras cosas, de las varias "edades" antiguas, de cada uno de los gobernantes incas y de las coyas, sus mujeres, de los capitanes, los reglamentos, organización social, oficios, fiestas, creencias religiosas, etc. Al tema de la Conquista, que es el que aquí nos interesa, dedica Guamán Poma varias páginas, de la 367 a la 439. Allí ofrece su propia visión indígena, basada, tanto en los testimonios de su padre y de otros ancianos que eran ya adultos al tiempo de la venida de los españoles, como en lo que él mismo pudo conocer y presenciar, ya que no debe olvidarse que probablemente había nacido hacia 1526, o sea seis años antes del desembarque final de Pizarro en la ciudad de Túmbez.

Esta importante crónica indígena permaneció olvidada hasta el año de 1908 en que fue descubierta en la Biblioteca Real de Copenhague por el doctor Richard Pietschmann, quien dio a conocer su existencia ese mismo año e informó más ampliamente acerca de este hallazgo con ocasión del XVIII Congreso Internacional de Americanistas, celebrado en Londres en 1912.

Existe una reproducción facsimilar de la *Corónica* publicada por Paul Rivet en el volumen XXIII del Instituto de Etnología de París, en 1936. La única versión paleográfica completa de esta fuente de tanta importancia se debe a Arturo Posnansky, quien la publicó en La Paz, Bolivia, en 1944.

[1] Porras Barrenechea, Raúl, *Los cronistas del Perú* (1528-1650) Sanmartí y Cía., Lima, 1962, pp. 432-436.

En la presente antología de textos indígenas acerca de la conquista del Perú se incluirán buena parte de las páginas que escribió Guamán Poma sobre este tema.

Otra importante relación indígena acerca de la Conquista es la *Instrucción del Inca don Diego de Castro, Titu Cusi Yupanqui, para el muy ilustre Señor el Lic. Lope García de Castro.* Ya vimos, al tratar de la resistencia de los incas desde Vilcabamba, el papel que desempeñó el Inca Titu Cusi, quien gobernó entre los años de 1557 y 1570. Titu Cusi entró en más de una ocasión en tratos con los mensajeros españoles enviados desde Lima. De hecho fue bautizado en agosto de 1568, recibiendo el nombre de Diego de Castro. El Padre Marcos García, que quedó en Vilcabamba para catequizar al Inca, fue precisamente quien transcribió el memorial o "instrucción" de Titu Cusi dirigido al gobernador García de Castro. En ella hace cuenta de las vejaciones y agravios que recibió su padre Manco II. Habla asimismo del sitio de Cuzco, donde murió Juan Pizarro, y menciona no pocos hechos tocantes a la vida y organización del nuevo estado incaico en Vilcabamba. Respecto de la lucha entre Huáscar y Atahualpa, toma la actitud cuzqueña, declarándose partidario de Huáscar.

Tocando el punto de la participación que pudo haber tenido fray Marcos García al poner por escrito las palabras del Inca, vale la pena citar la opinión de Porras Barrenechea: "El fraile redactor de la crónica interpone también su personalidad, haciendo pronunciar a cada rato, a Manco Inca, arengas que son verdaderas homilías y que comienzan invariablemente con este vocativo: 'Muy amados hijos y hermanos míos'. Sin embargo de esto, hay algunos atisbos e impresiones directas del espíritu indio frente a los españoles o huiracochas. Así, cuando dice, para describir a los conquistadores, que eran hombres barbados que hablaban a solas con unos paños blancos — para decir que leían —, que iban sobre animales que tenían los pies de plata y que eran dueños de algunos illapas o truenos." [2]

La relación de Titu Cusi se conserva en la Biblioteca del Escorial y de ella existe la reproducción de una mínima parte hecha por Marcos Jiménez de la Espada en el apéndice 18 a *La Guerra de Quito,* de Pedro Cieza de León, Madrid, 1867. Más tarde, en edición poco cuidada, se publicó completa la Instrucción de Cusi Yupanqui, bajo el título de *Relación de la Conquista del Perú y hechos del Inca Manco II,* Colección de Libros y Documentos referentes a la Historia del Perú (Urteaga-Romero), Primera Serie, tomo II, Lima, 1916.

El tercer cronista netamente indígena cuya obra contiene asimismo referencias acerca de la conquista es don Juan de Santa Cruz Pachacuti, Yamqui Salcamaygua. Hijo de padres nobles de origen collagua, deja traslucir en su escrito, redactado a principios del siglo XVII, su resentimiento contra la gente del Cuzco. Su crónica titulada *Relación de Antigüedades deste Reyno del Pirú,* aunque mucho más breve que la obra de Guamán Poma, es rica mina de información. Entre otras cosas, habla de la famosa leyenda de Tonapa, incluye varias oraciones en idioma quechua y ofrece numerosos datos acerca de los varios Incas. Entre los dibujos que incluye, hay uno sumamente interesante acerca del Coricancha o recinto sagrado del Cuzco, que ha sido interpretado en más de una ocasión como una especie de "mapa cósmico indígena". La porción referente a la Conquista es breve, pero no por ello menos importante. En la presente antología será incluida en su totalidad.

La Relación de Santa Cruz Pachacuti se conserva en la Biblioteca Nacional de Madrid. Jiménez de la Es-

[2] Porras Barrenechea, *Op. cit.,* p. 439.

pada la publicó junto con la Relación de Fernando Santillán y otro documento anónimo, debido probablemente al Padre Blas Valera, bajo el título de *Tres Relaciones Peruanas*, Madrid, 1879.[3]

Además de los tres cronistas ya citados, todos ellos plenamente indígenas, es necesario referirnos siquiera sea brevemente a la obra de Garcilaso de la Vega. Como es bien sabido, Garcilaso fue hijo de uno de los conquistadores españoles que llegaron con Alvarado y de una ñusta o princesa incaica, sobrina del Inca Huayna Cápac. Garcilaso, quien se apropió el título de Inca, ya que éste correspondía sólo a los descendientes por línea paterna de la familia real, nació en el Cuzco el año de 1539. En su misma ciudad natal, y en compañía de los hijos mestizos de otros conquistadores, aprendió gramática, se adentró en los clásicos latinos y en la historia del Viejo Mundo, y pudo escuchar asimismo de labios de sus parientes indígenas las antiguas tradiciones del incario.

Tal vez al apego de esa tradición, tan ligada al amor materno, se debe que Garcilaso se proclamara siempre más indígena que español. Una sola cita que valdrá por muchas, tomada de sus *Comentarios Reales*, podrá servir para confirmar lo dicho. Explicando por qué se refiere a los españoles, como a los "huiracochas", escribe, "así llaman los indios a los españoles, y así los llamaré yo también, pues soy indio . . ."[4]

A los veinte años de edad Garcilaso pasó a España. Sirvió allí al rey como capitán y combatió en la guerra contra los moros bajo las órdenes de don Juan de Aus-

[3] Existe una nueva edición de esta obra publicada por la Editorial Guaranía, Asunción del Paraguay, 1950.

[4] Garcilaso Inca de la Vega, *Historia General del Perú,* Segunda Parte de los Comentarios Reales, Universidad Nacional Mayor de San Marcos, Lima, 1962, vol. I, p. 217.

tria. Por este tiempo aprendió la lengua italiana que habría de servirle para traducir los *Diálogos de Amor* de León Hebreo.

Los últimos años de su vida, hasta el de 1616 en que murió en la ciudad de Córdoba, los dedicó al estudio y a la redacción de sus varias obras históricas. De éstas nos interesan aquí, sobre todo, sus célebres *Comentarios Reales*. Ya desde 1586 había manifestado su deseo de tratar "sumariamente de la conquista de mi tierra, alargándome más en las costumbres, ritos y ceremonias de ella y en sus antiguallas..." Cuando en 1590 publicó su versión de los diálogos de León Hebreo, en la que puso de manifiesto su extraordinario dominio y elegancia en el uso de la lengua castellana, insistió una vez más, desde el mismo título dado al libro, en su origen indígena. En la portada de la obra se leen las siguientes palabras: "La traduzión del Indio de los Tres Diálogos de Amor de León Hebreo, hecha del italiano en español por Garcilaso Inga de la Vega, natural de la gran ciudad del Cuzco, Cabeza de los Reynos y Provincias del Pirú."

Garcilaso consagró buena parte de su tiempo a preparar las que podríamos considerar como sus obras fundamentales. Primero fue *La Florida del Inca,* que apareció en 1605. Más tarde pudo completar al fin sus *Comentarios Reales,* que como se lee ya en el título de la primera edición de 1609, "tratan del origen de los Incas, Reyes que fueron del Perú, de su idolatría, leyes y gobierno en paz y en guerra: de sus vidas y conquistas y de todo lo que fue aquel Imperio y su República, antes que los españoles pasaran a él".

La segunda parte de los Comentarios es precisamente la *Historia General del Perú,* en la que se refiere al descubrimiento y a la conquista del mismo. Garcilaso no pudo verla impresa, ya que no apareció sino hasta el año que siguió al de su muerte, o sea en el de 1617.

No es éste lugar para ocuparnos del valor literario de la obra de Garcilaso. Fijándonos tan sólo en lo que en ella puede haber de testimonio indígena acerca de la Conquista, si bien por una parte cabe afirmar, como lo hizo ya Menéndez y Pelayo, que es un "reflejo del alma de los pueblos vencidos", es cierto también que ese reflejo es mucho menos directo que el de los otros cronistas netamente quechuas de quienes antes nos hemos ocupado. En realidad cabe afirmar que los años que estuvo Garcilaso en España, la mayor parte de su vida, no pasaron en vano. Podría decirse de él que en cierto modo era indio entre los españoles y español entre los indios.

Mucho se ha discutido el valor histórico y la autenticidad de no pocos de los datos que presenta en sus *Comentarios* y en su *Historia*. Es un hecho que se empeñó en exaltar lo indígena, pero, fuerza es confesarlo, ese empeño es una buena parte el de un hombre de mentalidad europea. Desde este punto de vista su testimonio sólo a medias puede ser incluido dentro de la memoria de los vencidos. En la presente antología únicamente incluiremos, por vía de ejemplo, un breve pasaje en el que refiere cuál fue la actitud del Inca Manco II, a quien los españoles instauraron como rey para poder gobernar mejor a la nación incaica. De las varias ediciones de la obra histórica de Garcilaso se ofrece en nota la referencia a la más reciente y fácil de adquirir, publicada por la Universidad de San Marcos.[5]

Al lado de los cronistas cuyas obras se han mencionado, vale la pena recordar la existencia de otros varios

[5] *Los Comentarios Reales que tratan del origen de los Incas . . .*, Universidad Nacional Mayor de San Marcos, Patronato del Libro Universitario, 3 vols., Lima, 1959-1960.
Historia General del Perú (Segunda Parte de los *Comentarios Reales*), Universidad Nacional Mayor de San Marcos, Patronato del Libro Universitario, 4 vols., Lima, 1962.

testimonios, si se quiere más tardíos, pero que precisamente por ello ponen de manifiesto la persistencia del recuerdo de la Conquista en la conciencia indígena. Es el más interesante una antigua pieza de teatro en idioma quechua conocida bajo el título de *Tragedia del Fin de Atahualpa*. De ella se conocen distintas versiones con algunas variantes entre sí. Como lo ha notado el distinguido quechuista boliviano Jesús Lara, esta pieza pertenece al que pudiera llamarse el género de los "huanca", o sea una de las formas de representación existentes ya en los tiempos prehispánicos. Un "huanca" podría describirse como una representación de carácter histórico en la que se rememoran las hazañas de las grandes figuras del incario.

De las versiones que se conocen de la *Tragedia del Fin de Atahualpa,* algunas de ellas de considerable antigüedad, el propio Jesús Lara ha publicado la que a su juicio ha conservado más su forma original. De la traducción al castellano preparada por él mismo ofrecemos tan sólo una parte: la referente al encuentro de Atahualpa con Pizarro y los "enemigos barbudos", como se designa en el texto a los conquistadores. La tragedia se inicia con las palabras de Atahualpa que refiere cómo ha visto en sueños la amenaza que se cierne sobre él y su pueblo. Los hechos históricos se alteran en más de una ocasión, tal vez para presentar dentro de la unidad y la sencillez del teatro indígena el meollo mismo del drama de la Conquista. Más que un testimonio histórico, que pretendiera reflejar la secuencia de los hechos, es esta tragedia memoria profundamente humana del trauma de los vencidos.[6] El que se haya seguido representan-

---

[6] Véase: *Tragedia del Fin de Atawallpa,* monografía y traducción de Jesús Lara (incluye asimismo el texto original en quechua), Imprenta Universitaria, Cochabamba, 1957.

do hasta la fecha en numerosos pueblos de la Sierra es prueba de que el alma quechua no ha olvidado aún lo que significó para ella la Conquista.

Finalmente, de los numerosos cantares en idioma quechua que tratan del tema de la Conquista, mencionaremos aquí sólo dos de ellos. Es el primero el conocido con el título de *Apu Inca Atawalpaman*, elegía quechua anónima, escrita seguramente bastante tiempo después de la muerte de Atahualpa. En ella se recuerda con profundo realismo la ejecución del Inca en Cajamarca y se describe la triste situación del pueblo quechua. Esta elegía fue publicada por el quechuista J. M. B. Farfán en la revista del Instituto de Antropología de la Universidad Nacional de Tucumán, vol. XII, nº 12, 1942. Daremos aquí la versión más fiel de la misma preparada por el gran poeta y quechuista peruano José Mª Arguedas.[7]

El otro poema o cantar, más tardío que el anterior, procede de la zona quechua del Ecuador. Lleva como título *Runapag Llaqui*, "desventura del indio" y es asimismo dolorida recordación de la muerte de Atahualpa y de todas las desgracias que cayeron sobre el pueblo indígena.[8]

Éstos son los principales testimonios indígenas que podemos aducir acerca de la conquista del Perú. A través de ellos puede estudiarse el concepto que el gran pueblo quechua se formó de lo que iba a ser la ruina de su cultura milenaria.

[7] *Apu Inca Atawallpaman*, elegía quechua anónima. Recogida por J. M. Farfán; traducción de José Mª Arguedas, Juan Mejía Baca, Editor, Lima, s.f.

[8] El *Runapag Llaqui* ha sido publicado entre los ejemplos de literatura quechua incluidos en el *Diccionario Quechua* de Luis Cordero, Casa de la Cultura Ecuatoriana, Quito, 1955.

Los quechuas, al igual que sus hermanos aztecas y que los pueblos mayas de las tierras altas de Guatemala, pensaron en un principio que los extraños hombres barbados que llegaban a su tierra eran los dioses que regresaban. En el mundo quechua se les tomó por el legendario Huiracocha y sus acompañantes. Pero, aun cuando durante muchos años se siguió llamando huiracohas a los españoles, en realidad bien pronto se descubrió el error inicial.

Son los cronistas indígenas del Perú quienes, tal vez para disipar el primer engaño, insisten más en describir la codicia y sed de oro de los extraños forasteros. Así Guamán Poma escribe de ellos que "de día y de noche, entre sueños, todos decían, 'Indias, Indias, oro, plata, oro, plata, del Pirú...'" Y añade: "aún hasta ahora dura igual deseo de oro y plata y se matan los españoles y desuellan a los pobres de los indios, y por el oro y plata quedan ya despoblados parte de este reino, los pueblos de los pobres indios, por oro y plata..."

Dio entrada el pensamiento indígena a la idea, tantas veces repetida por conquistadores y misioneros, de que en realidad venían para predicar al Dios verdadero y la nueva doctrina de salvación. El indio fue consciente de que no le quedaba otro camino sino el de aceptar el cristianismo. Pero, a su manera, hizo burla de lo que tuvo por falsa religiosidad en los conquistadores. En su "Prólogo a los lectores cristianos españoles" escribe el mismo Guamán Poma: "todo lo tenéis y lo enseñáis a los pobres de los indios... decís que habréis de restituir. No veo que lo restituyáis en vida ni en muerte. Paréceme a mí, cristiano, que todos vosotros os condenáis al infierno. Que su Majestad es tan grande santo que a todos cuantos prelados y vizorreyes vienen encargados con los pobres naturales, los prelados lo propio, toda la mar trae el favor de los pobres indios, en saliendo en tierra, luego está contra los indios pobres de Jesucristo ..."

Y en la *Tragedia del Fin de Atahualpa,* con no poca ironía y sentido de burla, aparece el intérprete Felipillo traduciendo las palabras de Almagro:

> *Este fuerte señor te dice:*
> *nosotros hemos venido*
> *en busca de oro y plata.*

Y acto continuo Felipillo traduce la intervención violenta de Fray Vicente de Valverde, quien se interpone y grita:

> *No, nosotros venimos*
> *a hacer que conozcáis*
> *al verdadero Dios ...*

A todo lo cual el enviado Huaya Huisa responde solamente:

> *El Sol, que es nuestro padre,*
> *es de oro refulgente*
> *y la Luna, que es nuestra madre,*
> *es de radiante plata,*
> *y en Curicancha ambos están.*
> *Pero para acercarse a ellos*
> *hay que besar antes la tierra ...*[9]

Pero, si al fin quedó claro en el pensamiento quechua que los forasteros no eran dioses sino sólo "enemigos barbudos", como les llama el texto indígena, codiciosos de oro y de poder, también penetró bien pronto la idea

[9] *Tragedia del Fin de Atawallpa,* trad. cit. de Jesús Lara.

131

de que irremisiblemente la presencia de esa gente significaba el fin de la antigua manera de vida. Y aunque los quechuas se mantuvieron en pie de guerra cerca de cuarenta años en su fortaleza de Vilcabamba, la persuasión de la derrota se adueñó al cabo enteramente de su conciencia. Garcilaso trata de explicar ésta, afirmando que los indios no ofrecieron resistencia a los españoles debido a una profecía de Huayna Cápac que anunciaba su llegada. Titu Cusi sostiene que los conquistadores pudieron vencer porque obraron con dolo y engaño. Para Santa Cruz Pachacuti la explicación está en la voluntad divina. Pero si son distintas las explicaciones de la derrota, la convicción trágica de que fue algo inevitable parece ser la misma.

Quizás desde este punto de vista, los quechuas podrían simbolizar, una vez más, la resignación del vencido. La elegía anónima en honor de Atahualpa es ilustración de ello:

> Bajo extraño imperio, aglomerados los martirios,
> y destruidos,
> perplejos, extraviados, negada la memoria,
> solos;
> muerta la sombra que protege,
> lloramos,
> sin tener a quién o a dónde volver.
> Estamos delirando . . .[10]

Es cierto que el Inca Titu Cusi Yupanqui supo exponer sus quejas en su instrucción o memorial para hacerlas llegar a la autoridad real, pero también es verdad que la postrer persuasión fue la de que todo eso era inútil. En su interior el quechua aprendió a despreciar a los "barbudos enemigos". Con una mezcla de ironía,

[10] *Apu Inca Atawallpaman*, ed. cit.

de burla y de miedo, les siguió llamando huiracochas. Indudablemente aprendió a humillar la cabeza y a temer a conquistadores y encomenderos. Como sus hermanos aztecas y mayas, aceptó la nueva religión, pero conservó tradiciones y creencias de los tiempos antiguos. Al parecer la postrer conclusión del quechua fue resignarse en medio de la desgracia. En su aislamiento de encomiendas y de haciendas después, ha vivido su trauma. Se ha rebelado algunas veces como en el caso de Túpac Katari. Participó en las luchas de Independencia, pero hasta ahora sigue aguardando el momento, tal vez ya cercano, en el que al fin su antigua fuerza creadora podrá ejercitarse en el nuevo contexto de los grandes pueblos mestizos de la América nuestra.

LOS TESTIMONIOS QUECHUAS
DE LA CONQUISTA

1. LA CRÓNICA DE LA CONQUISTA
DE GUAMÁN POMA

De la obra de Guamán Poma El Primer Nueva Corónica
y Buen Gobierno, *redactada como ya dijimos en un castellano mezcla de quechua, tanto en su estructura como
en su vocabulario, se ofrece aquí buena parte de la relación que en ella se incluye acerca de la Conquista. La
selección se inicia con un elocuente "Prólogo a los lectores cristianos españoles", en el cual el andariego cronista indígena muestra como en síntesis cuál es su pensamiento acerca de los resultados de la presencia de los
españoles y de su dominación sobre los indios. Las páginas siguientes hablan de la aparición de esos hombres
blancos que fueron tenidos en un pricipio por Huiracocha y los dioses. Narra su encuentro con Atahualpa en
Cajamarca; su prisión y muerte, así como los principales hechos que siguieron, hasta la muerte del nuevo
Inca Manco II en su fortaleza de Vilcabamba y la ruina
final y definitiva de la nación incaica. Para la transcrip-
ción del texto de Guamán Poma nos hemos valido de
la reproducción facsimilar del mismo, publicada por Paul
Rivet en el volumen* XXIII *de los* Travaux et Memoires
de L'Institut d'Ethnologie. *París, 1936. Con el fin de
facilitar la lectura, se ha modernizado la ortografía
y se ha introducido, sin hacer violencia al texto, la pun-
tuación que pareció más adecuada, así como los varios
subtítulos que aparecen al principio de los distintos pasajes en que se distribuye el texto.*

Ves aquí, cristiano, toda la ley mala y buena. Agora cristiano lector parte a dos partes, lo malo apartadlo, para que sean castigos y con lo bueno se sirva a Dios y a Su Majestad. Cristiano lector, ves aquí toda la ley cristiana, no he hallado que sean tan codiciosos en oro ni plata los indios. Ni he hallado quien deba cien pesos, ni mentiroso, ni jugador, ni perezoso, ni puta, ni puto, ni quitarse entre ellos.

Que vosotros los tenéis todo inobediente a vuestro padre y madre y prelado y rey y si negáis a Dios, lo negáis a pie juntillo. Todo lo tenéis y lo enseñáis a los pobres de los indios. Decís cuando os desolláis entre vosotros y mucho más a los indios pobres. Decís que habrás de restituir. No veo que lo restituyáis en vida ni en muerte. Paréceme a mí, cristiano, que todos vosotros os condenáis al infierno. Que su majestad es tan gran santo que a todos cuantos prelados y vizorreyes vienen encargados con los pobres naturales, los prelados lo propio, toda la mar trae el favor de los pobres indios, en saliendo en tierra, luego es contra los indios pobres de Jesucristo.

No os espantéis, cristiano lector, de que la idolatría y erronía antigua le erraron como gentiles indios antiguos. Erraron el camino verdadero. Como los españoles, tuvieron ídolos, como escribió el reverendo padre fray Luis de Granada que un español gentil tenía su ídolo de plata, que él lo había labrado con sus manos y otro español lo había hurtado de ello. Fue llorando a buscar su ídolo; más lloraba del ídolo que de la plata, así los indios como bárbaros y gentiles lloraban de sus ídolos, cuando se les quebraron en tiempo de la Conquista. Y vosotros tenéis ídolos en vuestra hacienda y plata en todo el mundo.

Don Francisco Pizarro y don Diego de Almagro, dos capitanes generales y los demás se ajuntaron trescientos y cincuenta soldados. Todo Castilla hubo grandes alborotos, era de día y de noche, entre sueños, todos decían, "Indias, Indias, oro, plata, oro, plata, del Pirú". Hasta los músicos cantaban el romance, "Indias, oro, plata". Y se ajuntaron estos dichos soldados y mensaje del rey Nuestro Señor Católico de España y del Santo Padre Papa.

De mil quinientos doce años Papa Julio II, de su pontificado siete; emperador Maximiliano II, de su imperio diecisiete; Reina de España, doña Juana, de su reinado cinco. Vasco Núñez de Balboa tuvo noticia de la Mar del Sur. Con esta nueva, más se alborotó la tierra. Que si la reina le dejara venir, me parece que toda Castilla se viniera con tan rica nueva deseada: oro y plata. [Se creía] que la gente andaba vestida toda de oro y plata y todo el suelo, lo que pisaban, era todo oro y plata macizos, que como piedra amontonaban oro y plata.

Aun hasta ahora dura aquel deseo de oro y plata y se matan los españoles y desuella a los pobres de los indios y por el oro y plata quedan ya despoblados parte deste reino, los pueblos de los pobres indios, por oro y plata.

Del año de mil quinientos trece, Papa Julio II y de su pontificado siete; emperador Maximiliano II, de su imperio diecisiete, reina de España doña Juana y de su reinado cinco. Descubrimiento del río de la plata; Juan Díaz de Solís vecino de la villa de Librexa, piloto, setecientas leguas a Paraguay, al río grande, se descubrió.

Comenzaron los capitanes a alinarse sus viajes y matalotajes, mucha comida y armas, todo, bizcocho y tocino, cecina y procuraron traer otros regalos y ropa blanca, pero de hacienda pobre no quisieron traer nada, sino armas y escopetas, con la codicia de oro, plata, oro y plata, Indias, a las Indias, Pirú.

[foja 374] La mar de sur al río de la Plata, setecientas leguas a la ciudad de Paraguay. Mas, primero, fue descubierto el mar de norte por el compañero de Colum a las Indias. Y si murió, y dejó los papeles al dicho Colum, y fue ganado Santo Domingo y Panamá, de allí saltó a las Indias, al reino del Pirú, en tiempo y reinado de Guayna-Cápac Inca. Se descubrió y fue conquistado en tiempo que reinó Topa Cucihualpa Huáscar Inca, cuando tuvo contradicción con su hermano bastardo Atahualpa Inca.

Y así don Francisco Pizarro y don Diego de Almagro y su hermano Gonzalo Pizarro, Factor Gelin Martín Fernández Enseso y el dicho Colum, Juan Díaz de Solís, piloto, Vasco Núñez de Balboa tuvo noticia de la mar en el año de mil quinientos catorce.[1]

Papa Julio II, de su pontificado, siete; emperador Maximiliano II, de su imperio, diecisiete; reina de España, doña Juana, de su reinado, cinco, y don Francisco Pizarro, don Diego de Almagro, fray Vicente de la orden de San Francisco y Felipe, lengua, indio Guancabilca, y se ajuntaron con Martín Fernández Enseso y trescientos cincuenta soldados y se embarcaron al reino de las Indias del Pirú y no quisieron descansar ningún día en los puertos.

Cada día no se hacía nada, sino todo era pensar en oro y plata y riquezas de las Indias del Pirú. Estaban como un hombre desesperado, tonto, loco, perdido el juicio con la codicia de oro y plata. A veces no comía, con el pensamiento de oro y plata, a veces tenía gran

[1] Como es obvio, la cronología y las distintas figuras del descubrimiento del Nuevo Mundo y de la conquista del Perú se confunden aquí en el pensamiento de Guamán Poma.

fiesta, pareciendo que todo oro y plata tenía dentro de las manos asido. Como un gato casero cuando tiene al ratón dentro de las uñas, entonces se huelga y si no siempre acecha y trabaja y todo su cuidado y pensamiento se le va allí, hasta cogerlo no para, y siempre vuelve allí, así fue los primeros hombres. No temió la muerte con el interés de oro y plata. Peor son los de esta vida. Los españoles corregidor y padres comenderos, con la codicia del oro y plata, se van al infierno.

[foja 378] Año de mil y quinientos y veinte y cinco, Papa Clemente VII, de su Pontificado tres, Emperador don Carlos V, de su Imperio siete, de su reinado cinco, don Francisco Pizarro y don Diego de Almagro, dos capitanes generales en el descubrimiento de este reino del Pirú y Hernando de Luque, maestre escuela, saltaron en esta tierra. Luego comenzaron a tener diferencias del dicho descubrimiento de este mundo nuevo de las Indias de este reino y con la codicia de oro y plata en su corazón, traía "matarte he o matarme has" y unos y otros se mordían y los dichos soldados andaban espantados.

Año de mil y quinientos veinte y seis, Papa Clemente, de su Pontificado cinco, Emperador don Carlos V y de su Imperio nueve, de su reinado diez, nacimiento del rey don Felipe, Segundo de este nombre, hubo muy grandes fiestas en España y en toda Castilla y Roma.

Año de mil quinientos treinta y dos, Papa Clemente VII y de su Pontificado diez, Emperador Carlos V y de su Imperio catorce y de su reinado quince, don Francisco Pizarro, don Diego de Almagro, tuvieron el primer embajador del legítimo y rey Cápac Apo Inca Topa Cucihualpa, Huáscar Inca, rey y señor de este reino; le envió a dar paz al puerto de Túmbez al embajador del emperador y rey de Castilla. Le envió a su segunda persona, virrey de este reino, Cápac Apo Excmo. Señor don Martín Guamán Marqués de Ayala, fue el embajador de la gran ciudad del Cuzco, cabecera de este reino. Y los españoles, don Francisco Pizarro y don Diego de Almagro y don Martín de Ayala, se hincaron de rodillas y se abrazaron y se dieron paz [y] amistad con el Emperador. Y le honró y comió en su mesa y hablaron y conversaron y le dio presentes a los cristianos, asimismo le dio al Señor don Marqués de Ayala, que fue primer embajador de Atahualpa Inca en el puerto de Túmbez, a donde saltó primero.

Disensiones entre Huáscar y Atahualpa [foja 378]

Al difunto Guayna Cápac, Inca, lo llevan a la ciudad del Cuzco, a donde es cabecera de este reino, a enterrarlo. Lo trajeron desde la provincia de Quito. En este tiempo que tuvieron grandes dares y tomares los dos incas, el legítimo Huáscar Inca y el bastardo Atahualpa Inca, desde Quito y porfía de capitanes. Y se hicieron el reino dos partes. Desde Jauja hasta Quito, y nuevo reino, fue lo de Atahualpa. Y desde Jauja hasta Chile lo de Huáscar. Y con ellos hubo grandes contradicciones y batalla y muerte de los capitanes y de indios de este reino. Entonces fue llevado el cuerpo de Guayna Cápac Inca, a la gran ciudad del Cuzco. Le llamaba el difunto *yllapa.*[2]

Del dicho Inca Guayna Cápac pensaron los indios de Quito que vino vivo el Inca y así no se alzaron, ni hubo alboroto del reino por la muerte del Inca y lo llevaron a su bóveda real embalsamado de manera. Desde Jauja se supo que estaba muerto y en la ciudad del Cuzco hicieron grandes llantos y lloros de la muerte de Guayna Cápac Inca. Y la promesa y lo que le denun-

[2] *Yllapa:* rayo.

ciaron los demonios al Inca, desde sus antepasados incas, fue declarado que habían de salir unos hombres llamados Huiracocha, como dicho fue en este tiempo salieron los hombres Huiracochas cristianos en esta revuelta de este reino. Y fue ventura primisión de Dios que en tanta batalla y derramamiento de sangre y pérdida de la gente de este reino saliesen los cristianos. Fue Dios servido y la virgen María adorados y todos los santos y santas ángeles llamado de que fuese la Conquista en tanta revuelta de Huáscar, Atahualpa, Incas.

Los primeros contactos [foja 380]

El segundo Embajador de Atahualpa Inca, hermano bastardo de Huáscar Inca, envió a su capitán general llamado Ruminaui al puerto de Túmbez al Embajador del Emperador, don Francisco Pizarro y don Diego de Almagro y tuvieron muy grandes respuestas y cumplimiento. Le envió suplicando que se volviesen los cristianos a sus tierras y le dijo que le daría mucho oro y plata para que se volviesen. Y no provechó y dio la respuesta diciendo que quería ver y besar las manos al rey Inca. Después se volverían y que venía por embajador de su rey emperador y así vino adelante.

Atahualpa Inca como le mandó dar indios mitayos [3] a don Francisco Pizarro y a don Diego de Almagro y al Fator Gelin. Le dieron cama, ricos y regalos y mujeres a ellos y a todos sus caballos, porque decían que era persona los dichos caballos que comían maíz. No sabía, ni había visto en su vida y así lo mandó dar recaudo.

Año de mil quinientos y treinta y tres; Papa Clemente VII, de su Pontificado once, Emperador don Carlos

---

[3] *Mitayos:* trabajadores forzados.

cinco y de su imperio quince, y de su reinado diez y seis, marcha don Francisco Pizarro y don Diego de Almagro a la ciudad de Cajamarca contra Atahualpa Inca con ciento y sesenta soldados contra cien mil indios; Hernando de Soto, Sebastián de Balcázar y Hernando Pizarro con veinte caballeros y Felipe Guancabilca, indio lengua, que trajo para la conquista. Entraron a Cajamarca y no estaba en la ciudad el dicho Inca Atahualpa; estaba en los baños. Envía Atahualpa a su embajador a la ciudad con el capitán Ruminaui diciendo que se volviesen los cristianos españoles a su tierra. Don Francisco Pizarro y don Diego de Almagro responde[n] que no hay lugar de volverse.

[foja 381] De cómo los españoles llegaron a la ciudad de Cajamarca y no se aposentaron en la dicha ciudad, en ausencia del dicho Inca Atahualpa y fuera se armaron sus toldos y se ordenaron como bravos animosos para lo embestir y en aquel tiempo no traían cabellos sino traían el cuello como todos, traían bonetes colorados y calzones chupados, jubón estofados y manga larga y un capotillo con su manga larga como casi a la viscainada.

Cómo tuvo noticia Atahualpa Inca y los señores principales y capitanes y los demás indios de la huida de los españoles se espantaron de que los cristianos no durmiesen. Es que decía porque velaban y que comía plata y oro, ellos como sus caballos, y que traía ojotas de plata. Decía de los frenos y herraduras y de las armas de hierro y de bonetes colorados.

Y que de día y de noche hablaban cada uno con sus papeles — *quilca* — [4] y que todos eran amortajados, toda la cara cubierta de lana, y que se le parecía sólo ojos

[4] *Qquellca:* papel, carta o escritura.

y en la cabeza traía unas ollitas colorado —*arimanca*— [5] *suriuayta* —,[6] que traían las pijas colgadas atrás larguísimos de encima las espadas y que estaban vestidos de plata fina y que no tenía señor mayor. Que todos parecían hermanos en el traje y hablar y conversar comer y vestir y una cara. Sólo les pareció que tenía[n] un señor mayor de una cara prieta y dientes y ojo blanco que éste sólo hablaba mucho con todos. Oída esta dicha nueva se espantó el dicho Inca y le dijo: qué nueva me traes mal mensaje. Y así quedaron espantados con la nueva nunca oída y así mandó Atahualpa Inca que le diesen servicios de mujeres a ellos y a sus caballos. Porque se rieron de la pija de los cristianos de la espada, mandó matar Atahualpa Inca a las indias que se rieron y tornó a dar otras indias de nuevo y servicios. Con todo eso replicó muy mucho de que fueran y tornaran y no hubo remedio que en oportuno los cristianos verse con la majestad del Inca.

[foja 383] Hernando Pizarro y Sebastián de Balcázar de cómo estuvo el dicho Atahualpa Inca en los baños, allá fueron estos dos dichos caballeros encima de dos caballos muy furiosos enjaizados y armados y llevaba mucho cascabel y penacho y los dichos caballeros armados a punta en blanco comenzaron a apretar las piernas, corrieron muy furiosamente que fue deshaciéndose y llevaba mucho ruido de cascabel. Dicen que aquello le espantó al Inca y a los indios que estaban en los dichos baños de Cajamarca y como vido nunca vista, con el espanto cayó en tierra el dicho Atahualpa Inca de encima de las andas. Como corrió para ellos y toda su gente quedaron espantados, asombrados, cada uno se

[5] Olla nueva; probablemente se refieren a los cascos.
[6] Pluma de avestruz.

142

echaron a huir porque tan gran animal corrían y encima unos hombres nunca vista de aquella manera, andaban turbados. Luego tornaron a correr otra vez y corrían más contento y decían: a Santa María, buena seña, a señor Santiago, buena seña.

Y así hubieron buena seña y comenzar la batalla y hacer la guerra contra Atahualpa Inca. Y así llegó a su hermano don Francisco Pizarro y dijeron los caballeros: albricias, hermanos míos, ya yo tengo convencido y espantado a los indios; será Dios servido que le comencemos la batalla, por todos se espantaron y dejaron en tierra a su rey y cada uno echaron a huir, buena seña, buena seña.

El encuentro en Cajamarca y la prisión de Atahualpa
[foja 385]

Don Francisco Pizarro y don Diego de Almagro y fray Vicente de la orden del Señor San Francisco. Como Atahualpa Inca desde los baños se fue a la ciudad y corte de Cajamarca y llegado con su Majestad y cercado de sus capitanes con mucho más gente, doblado de cien mil indios, en la ciudad de Cajamarca, en la plaza pública, en el medio en su trono y asiento, gradas que tiene [que] se llaman *usno* se sentó Atahualpa Inca.

Y luego comenzó don Francisco Pizarro y don Diego de Almagro a decirle con la lengua, Felipe, indio Guancabilca. Le dijo que era mensaje y embajador de un gran señor y que fuese su amigo que sólo a eso venía.

Respondió muy atentamente lo que decía don Francisco Pizarro y lo dice la lengua, Felipe, indio. Responde el Inca con una majestad y dijo que será la verdad que tan lejos tierra venían por mensaje, que lo creía que será gran Señor, pero no tenía que hacer amistad, que también que era él gran señor en su reino.

Después de esta respuesta, entra con la suya fray Vicente, llevando en la mano derecha una cruz y en la izquierda el breviario. Y le dice al dicho Atahualpa Inca que también es embajador y mensajero de otro señor, muy grande amigo de Dios y que fuese su amigo y que adorase la cruz y creyese el evangelio de Dios y que no adorase en nada, que todo lo demás era cosa de burla.

Responde Atahualpa Inca y dice que no tiene que adorar a nadie sino al sol que nunca muere ni sus *guacas* [7] y dioses [que] también tienen en su ley: aquello guardaba. Y preguntó el dicho Inca a fray Vicente quién se lo había dicho.

Responde fray Vicente que le había dicho el evangelio, el libro.

Y dijo Atahualpa: dámelo a mí, el libro, para que me lo diga. Y así se lo dio y lo tomó en las manos; comenzó a hojear las hojas del dicho libro. Y dice el dicho Inca que, como no me lo dice, ni me habla a mí el dicho libro, hablando con grande majestad, sentado en su trono, y lo echó el dicho libro de las manos, el dicho Inca Atahualpa.

Cómo fray Vicente dio voces y dijo: ¡Aquí, caballeros, con estos indios gentiles son contra nuestra fe! Y don Francisco Pizarro y don Diego de Almagro, de la suya, dieron voces y dijo: ¡Salgan, caballeros, contra estos infieles que son contra nuestra cristiandad y de nuestro emperador y rey, demos en ellos!

[foja 386] Y así luego comenzaron los caballeros y dispararon sus arcabuces y dieron la escaramusa y los dichos soldados a matar indios como hormigas y de espanto de arcabuces y ruido de cascabeles y de las armas

---

[7] *Huaca*: todo lo que se consideraba sagrado.

y de ver primer hombre jamás visto, de estar lleno de indios la plaza de Cajamarca. Se derribó las paredes del cerco de la plaza de Cajamarca.

Y se mataron entre ellos, de apretarse y pisarse y tropezarse los caballos, murieron mucha gente de indios, que no se pudo contar. De la banda de los españoles murieron cinco personas, de su voluntad, porque ningún indio se atrevió, de espanto asombrado. Dicen que también estaban dentro de los indios muertos, los dichos cinco españoles. Deben de andar tonteando como indio, deben de tropezarse los dichos caballeros.

Y así se le prendió don Francisco Pizarro y don Diego de Almagro al dicho Atahualpa Inca, de su trono. Le llevó sin herirle y estaba preso con presiones y guarda de españoles, junto del capitán don Francisco Pizarro. Quedó muy triste y desconsolado y desposeído de su majestad, sentado en el suelo quitado su trono y reino.

De cómo hubo alboroto en este reino entre hermanos. El rey Cápac Apo Huáscar, Inca legítimo, y su hermano príncipe *Auqui* Atahualpa Inca, después de la muerte de su padre Guayna Cápac Inca, este dicho alboroto y guerra duró treinta y seis años. Desde niño el dicho Huáscar fue muy soberbio y mísero y mal inclinado; en "dácalas pajas", mandaba matar a los dichos capitanes. Y así huían de él. Después nunca les quiso favorecer [a] ningún capitán, ni soldado. Ves aquí cómo [no] quiso favorecer ningún capitán ni soldado. Ves aquí cómo pierde con la soberbia todo su reino siempre que sea rey o capitán, si es soberbio, auriento, perderá su reino y la vida como Huáscar Inca.

Y fue Dios servido que en este tiempo enviase su embajador y mensaje el rey emperador a don Francisco Pizarro y a don Diego de Almagro, capitanes.

Tuvo batalla el legítimo de la parte del Cuzco, el bastardo de la parte de Quito. En esta batalla murieron muchos capitanes y soldados y se perdió muy mucha hacienda de los incas y de los templos que hasta hoy quedaron escondidos en todo este reino y así fue conquistado y no se defendió.

Atahualpa paga su rescate [foja 388]

Cómo le prendieron y, estando preso Atahualpa Inca, le robaron toda su hacienda don Francisco Pizarro y don Diego de Almagro y todos los demás soldados y españoles. Y lo tomaron toda la riqueza del templo del sol y de Curicancha y de Huanacauri, muchos millones de oro y plata, que no se puede contar, porque sólo Curicancha todas las paredes y la cobertura y suelo y las ventanas, cuajado de oro.

Y dicen que las personas que entran dentro, con el rayo de oro; parece difunto, en el color del oro. Y del Inca Atahualpa y de todos sus capitanes y de señores principales de este reino y las dichas andas de oro y plata que pesaban más de veinte mil marcos de oro fino, el tablón de las dichas andas y veinte mil marcos de plata fina, un millón y trescientos veintiséis mil escudos de oro finísimo, les quitó sus servicios hasta quitarle su mujer legítima, la coya. Y como se vio tan mal tratamiento y daño y robo, tuvo muy grande pena y tristeza en su corazón y lloró y no comió. Como vio llorar a la señora coya, lloró y de su parte hubo grandes llantos en la ciudad de los indios.

Cantaba de esta suerte: "ray aragui aray araui sapra aucacho coya atihuanchic llazauanchicma coya suclla uanoson amatac acuyraq'ca cachuncho paracinam uequi payllamanta urmancam coya hinataccyia." [8]

[8] "Un guerrero perverso nos ha aprisionado, oh Colla, ha saqueádonos, Reina, ahora moriremos; que nuestro infortunio no sea como una lluvia de lágrimas que por sí sola cae; así tendría que suceder." (Versión dada por A. Posnansky.)

De cómo estando preso, conversaba Atahualpa Inca con don Francisco Pizarro y don Diego de Almagro y con los demás españoles y jugaba con ellos en el juego de ajedrez que ellos les llaman Taptana. Y era muy apacible príncipe y así se contentaba con los cristianos y daba su hacienda y no sabía con qué contentarles y regalarles.

De cómo estando preso Atahualpa Inca, todos sus vasallos y indios y capitanes y señores grandes de su reino le desampararon y no le sirvieron.

De cómo procuró de rescatar su huida Atahualpa Inca con todos sus capitanes y dio a don Francisco Pizarro y a don Diego de Almagro y a todos los soldados mucho oro, que una casa señaló, con su propia espada le midió don Francisco Pizarro, media pared, que era de largo ocho brasas y de ancho cuatro brasas, henchido de oro y lo tomó don Francisco Pizarro y don Diego de Almagro, con todos los demás españoles lo partieron y mandaron toda la riqueza del despacho al emperador, todos a España, cada uno a sus deudos y parientes y amigos.

Atahualpa manda matar a Huáscar [foja 389]

Cómo el Inca Atahualpa, estando preso, envió a sus embajadores y capitanes a los dichos capitanes mayores Challcochima, Quisquis, incas, y otros capitanes para que diesen guerra y batalla a su hermano legítimo Huáscar Inca. Y así le venció y le prendió al cuerpo de Huáscar Inca y luego le maltrató y le dio a comer maíz chuño [9] podrido y por coca le dio hojas de chilca [10] y

---

[9] Arrugado, enjuto, seco.
[10] Yerba medicinal.

por lipta [11] le dio suciedad de los hombres y estiércol de carnero majado y por chicha orines de carnero y por fresada, estera, y por mujer, una piedra larga vestida como mujer. En el sitio llamado Andamarca le mataron los canaris chachapoyas cantando "poluya, poloya, uuiya uuiya", y mataron todos los auquiconas y ñustas,[12] indias preñadas, les abrían la barriga.

Todo se hizo por consumir y acabar al dicho Huáscar Inca, con toda su generación, para que no hubiese legítimos incas, porque había preguntado los cristianos del legítimo rey Inca y así lo mandó matar.

De cómo en tiempo de contradicción entre dos hermanos Huáscar Inca, Atahualpa Inca y de salir nuevo hombre nunca visto, que fueron españoles, se perdió muy mucha hacienda del sol y de la luna y de las estrellas y de los dioses guacabilcas, templos de Curicancha del Inca y de las vírgenes aclas y de los pontífices y de los indios comunes, porque cada cosa estaban señalando en todo el reino que no se puede contar tanto.

De cómo los indios andaban perdidos de sus dioses y *huacas* y de sus reyes y de sus señores grandes y capitanes en este tiempo de la Conquista, ni había dios de los cristianos, ni rey de España, ni había justicia. Así dieron a hurtar y robar [a] los españoles como Challcochima, Quisquis, Auapanti, Ruminaui y otros muchos capitanes y los indios canaris y chachapoyas huancas andaban robando y salteando y perdidos, hechos yanaconas,[13] desde allí comenzaron los yanaconas a ser bellacos y ladrones y así hubo muy mucha hambre y albo-

[11] Coca: hojas que mastican los indios con unos panecillos hechos con ceniza que llaman *lliptta* (nota de Posnansky).

[12] A los príncipes y princesas, sus hermanos y parientes.

[13] *Yanaconas:* criados o domésticos que se rebelaron entonces.

roto y se murió mucha gente y revuelta en todo el reino, daca oro y toma oro.

Muerte de Atahualpa [foja 391]

De cómo había pronunciado un auto y sentencia don Francisco Pizarro de cortarle la cabeza a Atahualpa Inca, no quiso firmar don Diego de Almagro, ni los demás, la dicha sentencia porque daba (había dado ya) toda la riqueza de oro y plata, y lo sentenció. Todos dijeron que lo despachase al Emperador preso, que allá restituyese toda la riqueza de este reino.

Atahualpa Inca fue degollado y sentenciado y le mandó cortar la cabeza don Francisco Pizarro y le notifica con una lengua indio, fe natural de Guancabilca. Esta dicha lengua le informó mal a don Francisco Pizarro y los demás, no le gustó la dicha sentencia y no le dio a entender la justicia que pedía y merced Atahualpa Inca, por tener enamorado de la coya, mujer legítima. Y así fue causa que le matasen y le cortasen la cabeza a Atahualpa Inca. Y murió mártir, cristianísimamente, en la ciudad de Cajamarca acabó su vida.

Cómo vino por mandato de don Francisco Pizarro y don Diego de Almagro y de sus generales dos españoles a prender los cuerpos de los dichos capitanes Chalcochima, Quisquis y lo prendió e hizo justicia en Jauja les colgó de unos palos y murió Chalcochima y los demás capitanes se huyeron Quisquis, Quizoyupanqui y Ruminaui, Auapanti Huanca Auqui Collatupa.

De cómo todas las riquezas que tenía escondidas, oro y plata, joyas y piedras preciosas le envió al Emperador y Rey Católico de España, don Francisco Pizarro y don Diego de Almagro y los demás soldados toda la riqueza y huaca y del sol, todo cuanto pudieron coger. Y enviaron cada uno de ellos a sus casas y a sus mujeres

149

y hijos y parientes de este reino y de Castilla. Con la codicia se embarcaron muchos sacerdotes y españoles y señoras, mercaderes, para el Pirú, todo fue Pirú y más Pirú, Indias y más Indias, oro y plata de este reino.

Vienen más españoles

De cómo por la riqueza envió el Emperador gobernadores y oidores presidentes y obispos y sacerdotes y frailes y españoles y señoras. Todo era decir Pirú y más Pirú. De los ciento y sesenta españoles y un negro congo aumentó mucha gente de españoles y mercaderes y rescatadores y mercachifles y muchos morenos agora multiplica mucho más que indios mestizos, hijo de sacerdotes, oro y plata en el Pirú. Ves aquí como le echa a perder al Emperador con la soberbia, cómo pudo sentenciar un caballero a su rey y si no le matara toda la riqueza fuera del Emperador y si descubriera todas las minas...

[foja 395] Cómo los españoles se derramaron por todas partes de la tierra de este reino, de dos en dos, y algunos cada uno, hay y con su gente yanaconas indios buscando cada uno sus ventajas y buscaban sus remedios, haciendo muy grandes males y daños a los indios, pidiéndoles oro y plata, quitándoles sus vestidos y comida y los cuales se espantaron por ver gente nueva nunca vista y así se escondían y se huían de los cristianos

Cómo los primeros conquistadores traían otro traje por temor del frío, coleto y bonetes colorados, unos calzones chupados y sin cuello como clérigo y traían mangas largas la ropilla, el capote corto, asimismo las dichas mujeres, como usaron los antiguos indios, unas camegetas largas, manta corta, y después van apuliendo y delgazando la tierra en mucho más en este reino.

150

Cómo los primeros españoles fueron chapetones, asimismo los dichos indios no se entendían el uno ni al otro, pidiendo agua traían leña, diciendo, anda, puto; traían cobre y calabazas, porque, anda, es cobre, puto, calabazas. Y algunos indios se hacían ladinos. Los yanaconas decían: "oveja chincando, pacat tura buscando mana tarinchos Huiracocha".[14] Como los mestizos del Cuzco y de Xacxauana y de Conchacalla decía: "ya, señor, señora, parauyando, capón asando, todo comiendo, mi madre pariba, yo agora mirando, chapin de la mula". Y así los unos como los otros pasaron grandes trabajos los indios como los cristianos y en los collas decían: "anda, puto". Decía los indios: "putu, sapi hile y haccha, puto, sapi hila".[15]

Cómo después de haber conquistado y de haber robado comenzaron a quitar las mujeres y doncellas y desvirgar por fuerza y, no queriendo, le mataban como a perros y castigaba sin temor de Dios ni de la justicia. No había justicia.

Cómo los primeros españoles conquistaron la tierra con sólo dos palabras que aprendieron, decían: "ama mancha, noca Inca", "que no tenga miedo, que él era Inca", decía a voces a los indios y se huían de ellos por temor y no conquistó con armas ni derramamiento de sangre, ni trabajo. Y los canaris y chachapoyas y yanaconas se metieron sólo a fin de robar y hurtar con los dichos españoles. No se metieron por servir a su majestad. Dicen que un español con la codicia del oro y plata mandóse llevarse en unas andas y ponerse orejas

[14] Según Ponsnansky se trata de una jerga de castellano y quechua: "día y noche buscando, no la encontré señor".

[15] Según Ponsnansky esta frase puede traducirse literalmente de las siguientes maneras: "putas sólo sobra y gran putas sólo sobra", o "anda gran puta, puta abandonada", o "nido sólo sobra y huérfano nido sólo sobra".

postizas y traje del Inca. Entraba a cada pueblo pidiendo oro y plata. Como veían Inca barbado se espantaban y más se echaban a huir los indios, mucho más las mujeres de este reino.

Más vejaciones [foja 397]

Don Francisco y don Diego de Almagro y los demás cristianos le mandaron tapear al Exmo. Señor Cápac Apo Huamanchaua, segunda persona del Inca, que estaba vivo, muy viejo y los demás grandes señores. Le encerraron pidiéndole oro y plata como interesados y codiciosos en oro y plata estos dichos conquistadores. Le echó fuego y le quemó, acabó su vida, asimismo mató a los dichos incas y a todos los señores grandes y capitanes generales y a los principales de cada provincia de este reino con varios tormentos, pidiéndole oro y plata. Y traía presos y lo castigaba muy cruelmente preso con cadena de hierro y de cuero de vaca torcido y cuellos de la misma vaca. Dicen que usaba grillos de vaca y esposas del mismo cuero para tener presos a los dichos indios de este reino. Y así muchos señores principales con el miedo del tormento dijeron que eran indios pobres para que no les atormentara y padeciera trabajo en este reino.

Cómo en tiempo de los incas había salteadores llamados pomaranra y el capitán de ellos se llamaba Chuquiaquilla inca. Andaba en las quebradas hondas y pedregales y peñas barrancos llamado pumaranra y salteaba por los caminos reales. Estos dichos indios cimarrones, estos dichos salteadores pomaranra en tiempo de la Conquista se hicieron yanaconas de los dichos españoles y salteaban mucha más mejor y robaba a los pobres indios y después se quedaron y se vecitaron en las ciudades por yanaconas. A donde está al presente yanaconas de Quito de Huánuco y de Lima, Huamanga, Cuzco, Arequipa, Potosí, Chuquisaca; en las ciudades son indios tributarios, pecheros del rey en este reino.

Reinado de Manco Inca II [foja 399]

Manco Inca se alzó por rey Inca porque les mandó los dichos capitanes y consejo de este reino Quisquis Inca, Auapanti, Amarouanca, Auqui ylla topa, Collatopa Curinaui Yuto Inga, Yucra Huallpa. Estos dichos capitanes fueron incas Hanancuzco y Lurincuzco, Colla aymara, Chuquillanqui Supaguaman, Chuuituaman Chanbimallco, Apomallco Castillapari, Apomollo Condorchaua, Cullic Chaua Cucichaqui Huayanay, consejos le alzaron por fin y muerte de Cápac Apo Huamanchaua, segunda persona del Inca, por ser muy antiguo señor del reino, porque le quemó y lo mató don Francisco Pizarro y don Diego de Almagro y los demás españoles.

Se alzó contra ellos [Manco Inca] por los malos tratamientos y burlas que se chocarreaba del Inca y de los demás señores de este reino. A vista de ojos les tomaban sus mujeres e hijas y doncellas con sus malas opiniones y con poco temor de Dios y de la justicia y de que recibían otros muchos agravios que le hacían a los indios. Y así se defendió y les cercó con gran suma de indios que no se podía contar, sino que se entenderá cien mil millones de indios a que habría llegado de este reino. Y todos los que se habían juntado a los dichos soldados cristianos, pedían misericordia hincados de rodillas llamaban a Dios con lágrimas a voces y a la Virgen María y a sus santos y decían a gran voz: Señor Santiago, válgame Santiago, Santa María, válgame Santa María, ayúdanos Dios. Esto decían con alta voz los caballeros a la escaramuza, diciendo, Santiago, los soldados en el medio hincados de rodillas, diciendo Santa María puesta las manos.

La gente de Manco II ataca a los españoles en el Cuzco
[foja 401]

Encendió fuego a la casa del Inca llamado Cuyusman-co, adonde los cristianos señalaron por templo de Dios y puso en el techo y en el altar la Santa Cruz. Primero los indios echaron fuego a las dichas moradas de los cristianos y lo quemaron, estando cercado los cristianos, toda la morada hasta el galpón y palacio que fue del Inca, el dicho Cuyusmanco, a dónde está de presente la iglesia mayor de la ciudad del Cuzco. Dicen que el fuego pegado a la dicha casa volaba por lo alto y no se quería quemar la dicha casa de ninguna manera, que ellos se espantaron cómo el fuego no quería llegar a la Santa Cruz, que fue milagro de Dios Nuestro Señor en ese tiempo; era señal de Dios que estaba ya fija la Santa Iglesia en el reino.

Luego en aquella hora hizo Dios otro milagro estando cercados todos los cristianos en la plaza del Cuzco estando haciendo oración, hincado de rodillas dando voces y llamando a Dios y a la Virgen María y a todos sus santos y sāntas ángeles y decía, válgame la Virgen María. Madre de Dios hizo otro milagro muy grande. Milagro de la madre de Dios en este reino que lo vieron a vista de ojos los indios de este reino y lo declaran y dan fe de ello, como en aquel tiempo no había ninguna señora en todo el reino, ni jamás lo habían visto ni conocido, sino primera señora le conoció a la Virgen María.

[foja 403] Señor Santiago Mayor de Galicia, apóstol en Jesucristo, en esta hora que estaba acercado los cristianos hizo otro milagro Dios muy grande en la ciudad del

Cuzco. Dicen que lo vieron a vista de ojos que abajó el Señor Santiago. Con un trueno muy grande como rayo cayó del cielo a la fortaleza del Inca llamado Sacsaguamán, que es pucara [fortaleza] del Inca, arriba de San Cristóbal. Y como cayó en tierra se espantaron los indios y dijeron que había caído, yllapa trueno y rayo del cielo, caccha de los cristianos, favor de cristianos. Y así abajó el Señor Santiago a defender a los cristianos. Dicen que vino encima de un caballo blanco, que traía el dicho caballo pluma suri y mucho cascabel enjaezado y el santo todo armado con su rodela y su bandera y su manta colorado y su espada desnuda y que venía con gran destrucción y muerto muy muchos indios y desbarató todo el cerco de los indios a los cristianos que había ordenado Manco Inca. Y que llevaba el santo mucho ruido y de ello se espantaron los indios.

De esto echó a huir Manco Inca y los demás capitanes y indios y se fueron al pueblo de Tambo con sus capitanes y demás indios los que pudieron. Y desde entonces los indios al rayo les llama y le dice Santiago, porque el santo cayó en tierra como rayo, yllapa, Santiago. Como los cristianos daban voces, diciendo, Santiago, y así lo oyeron los indios infieles y lo vieron al santo caer en tierra como rayo y así los indios son testigos de vista del señor Santiago. Y se debe guardarse esta dicha fiesta del señor Santiago en este reino como Pascua porque del milagro de Dios y del señor Santiago se ganó.

Manco II se retira a Vilcabamba [foja 406]

Cómo se desbarató Manco Inca por el señor Santiago de los cristianos y cómo se espantó y se fue huyendo con sus capitanes y llevó muchos indios al pueblo de Tambo. Allí edificó muchas casas y corredores y ordenó

155

muchas chacras [16] y mandó retratarse el dicho Manco Inca y a sus armas en una peña grandísima para que fuese memoria. Y como no pudo allí asistir en el dicho pueblo de Tambo, desde allí se retiró más adentro a la montaña de Vilcabamba con los demás capitanes y llevó indios y a su mujer, la coya, y dejó el reino y corona mascapaycha y chambí al señor emperador y rey nuestro señor, don Carlos, de la gloriosa memoria que está en el cielo y a su hijo don Felipe el segundo que está en el cielo y a su hijo don Felipe el tercero...

El capitán Quisquis levantó otra vez después de Manco Inca al Inca Paullo Topa, hijo bastardo de Guayna Cápac Inca, y se defendió de los españoles, aunque después comenzó a servir y ayudar no de todo corazón. Y en él ha habido sospecha siempre hasta que murió y murió cristianísimamente en la ciudad del Cuzco y dejó a su hijo, don Melchor Carlos Paullotopa Inca.

Este dicho capitán Quisquis siempre perseguía a los cristianos y por sus pecados porque no tuvo paz con los cristianos y así le mataron sus propios capitanes indios que tenía en su banda. Murió en el Cuzco y dejó a otros capitanes su cargo en este reino.

De cómo Manco Inca fue haciendo camino a la montaña dentro de Vilcabamba, no estando seguro en el pueblo de Tambo con algunos capitanes, Curipaucar, Manacutana, Atoc, Rumisonco. Y llevó indios de diferentes castas y fue haciendo camino más adentro y llegó a un río grande e hicieron puente de crisnejas y pasaron a la otra banda y llegó al valle llamado Huilcapampa.

El nuevo estado incaico [foja 407]

Y se poblaron y edificó otro Cuzco ciudad y edificó su templo de Curicancha que lo armó y pobló y muy

---

[16] *Chacras:* sementeras.

poca gente indios de diferentes castas y de ayllos de indios en la ciudad de Vilcabamba y sensa chacras y sementeras y ganados y quedó muy pobre en Vilcabamba.

De cómo Manco Inca, por su mandado, sus capitanes salteaban en el camino de Aporima, camino real del Cuzco de Lima, a los españoles y a los indios cristianos de la manda del rey que pasaban recuas y ganados y mercaderes y lo mataba y le quitaba la hacienda y ropa y todo lo que llevaba lo robaba y llevaba presos a los indios cristianos. Y así de esta manera estuvieron muchos años salteando en el dicho pueblo de Vilcabamba con su mujer y hijas el dicho Manco Inca.

Cómo un mestizo llamado Diego Méndez entraba a la ciudad de Vilcabamba con su embuste y mentira al Inca Manco Inca, avisaba este dicho mestizo al dicho Inca cuándo salía la recua del rey o de algún español rico para que le saltease Manco Inca en el camino real y así siempre salteaba y hacía muy grandes daños a los cristianos por aquel camino. Y así una vez estando borracho Manco Inca y Diego Méndez mestizo, los dos borrachos, comenzaron a jugar de porfía, le mató y le dió de puñaladas y le dejó muerto al dicho Manco Inca el dicho mestizo. Y al dicho mestizo le mataron los capitanes y dejó por heredero al Inca Sayre Topa Yamuuarca Coya y murió en el Cuzco y quedó Tupa Amara Inca...

El Virrey Toledo decide capturar a Túpac Amaru
[foja 445]

... y así se fue a la ciudad del Cuzco y en el Cuzco se ensayó e hizo soldados para la ciudad de Vilcabamba. Se armaron contra Topa Amaro Inca y de sus capitanes, Curipaucar, Manacutana. Para ensayarse subió en su jaca rijosa en la plaza del hospital del Cuzco con los soldados y capitanes y lo puso muy ordenado y muchas armas y arcabuces y estaba hecha una montaña con muchos micos y monos y guacamayas y papagayos y otros pájaros y leones y zorras y venados. Y dentro de la montaña muchos indios con sus ondas y lanzas y Guayllaquipa Antara, un Inca postizo, en sus andas, tirando contra don Francisco de Toledo.

Dieron batalla con el Inca y lo prende al dicho Inca, desbaratando a los indios y fue ordenación y semejanza que fue hecha para la batalla. Y no fue nada ni se defendió, antes se huyó el dicho Inca, por ser muchacho y no saber nada, y le prendió junto al río, sólo, sin indios . . .

Prisión y muerte de Túpac Amaru [foja 451]

Cómo don Francisco de Toledo se enojó muy mucho contra Topa Amaro Inca porque le habían informado que había dicho el Inca como muchacho, y con razón, cuando le envió a llamar, dijo que no quería ir a un mayordomo de un señor Inca como él. Y de esto hubo odio y sentenciar a muerte, de enojo contra el Inca. Y lo sentencia a cortarle la cabeza a Topa Amaro Inca. ¡Oh cristiano soberbio que habéis hecho perder la hacienda de su majestad de los millones que daba a la ciudad y los tesoros escondidos de sus antepasados y de todas las minas y riquezas, perdido su majestad, por querer hacerse más señor y rey don Francisco de Toledo! No seáis como él.

[foja 452] Fue degollado Topa Amaro Inca por la sentencia que dio don Francisco de Toledo. Le dio la dicha sentencia al infante rey Inca y murió bautizado cristianamente de edad de quince años. Y de la muerte lloraron todas las señoras principales y los indios de este reino e hizo grandísimo llanto toda la ciudad y doblaron todas las campanas y al entierro salió toda la gente principal y señoras y los indios principales y la clerecía le acompañó y le enterraron en la iglesia mayor de la ciudad del Cuzco. Entonces cesó don Francisco de Toledo.

Antes que le degollasen a Topa Amaro Inca, pidió le otorgasen la dicha sentencia y le diese vida, que quería ser esclavo de Su Majestad, o que daría muchos millones de oro, plata, tesoros escondidos de sus antepasados, o que mostraría muchas minas y riquezas y que serviría toda su vida. No hubo remedio y fue sentenciado y ejecutado a cortar la cabeza del infante Topa Amaro Inca.

Mira, cristiano, esta soberbia y demás de la ley de pérdida que hizo en servicio de Dios y de Su Majestad, de don Francisco de Toledo, cómo puede sentenciar a muerte al rey, ni al principal, ni al duque, ni al conde, ni al marqués, ni al caballero, un criado suyo pobre caballero. De esto se llama alzarse y querer ser más que el rey de estos dichos caballeros. Sólo con su poder tiene de conocer su causa y sentencia el rey, con su persona propia, ni puede conocer la dicha causa su virrey, ni su audiencia real, sino entregarle a sus manos, para que como señor y poderoso, lo perdone o le sentencie a su vasallo mayor de todo universo mundo. Esto es la ley.

2. RELACIÓN DE TITU CUSI YUPANQUI

Titu Cusi Yupanqui, hijo de Manco II, ocupó el trono de los Incas en Vilcabamba de 1557 a 1570. A principios de este último año, como ya se dijo en la introducción, dictó a fray Marcos García, quien había llegado para catequizarlo, una interesante "Relación de cómo los es-

pañoles entraron en el Perú y el subceso que tuvo Manco Inca en el tiempo que entre ellos vivió". Este memorial iba dirigido al licenciado Lope García de Castro, "Gobernador de los reinos del Perú", antes de la llegada del virrey Toledo. En él Titu Cusi relata las vejaciones y agravios de su pueblo y en especial los recibidos por su padre Manco II y pide al licenciado García de Castro haga llegar sus quejas hasta Felipe II, en cuya justicia afirma tener confianza.

Aun cuando es posible suponer que en este memorial dictado por el Inca tuvo también alguna participación el agustino fray Marcos García, parece indudable que la mayor parte del texto es fiel reflejo del pensamiento del Inca. A pesar de las obvias inexactitudes históricas en que incurre Titu Cusi y aun de lo que pudiera describirse como sentido en buena parte tendencioso de su relación, ya que en ella se hace pasar como hijo legítimo de Manco II e incluso llega a afirmar que era éste quien por derecho gobernaba al estado incaico a la venida de los españoles, no puede negarse que su testimonio es valioso y elocuente. Es esto cierto sobre todo en lo que se refiere a los tratos ulteriores que tuvo Manco II con los hombres de Castilla y a los reiterados intentos de parte de los "huiracochas" por someter a quienes se habían refugiado en Vilcabamba. A continuación se transcriben, modernizada la ortografía, algunos de los pasajes más interesantes de este memorial.

Descripción de los conquistadores

Decían que habían visto llegar a su tierra ciertas personas muy diferentes de nuestro hábito y traje, que parecían viracochas, que es el nombre con el cual nosotros nombramos antiguamente al Creador de todas las cosas, diciendo Tecsi Huiracochan, que quiere decir prin-

cipio y hacedor de todos; y nombraron de esta manera
a aquellas personas que habían visto, lo uno porque
diferenciaban mucho nuestro traje y semblante, y lo otro
porque veían que andaban en unas animalías muy grandes, las cuales tenían los pies de plata: y esto decían
por el relumbrar de las herraduras.

Y también los llamaban así, porque les habían visto
hablar a solas en unos paños blancos como una persona
hablaba con otra, y esto por el leer en libros y cartas;
y aun les llamaban Huiracochas por la excelencia y
parecer de sus personas y mucha diferencia entre unos
y otros, porque unos eran de barbas negras y otros ber-
mejas, y porque les veían comer en plata; y también
porque tenían yllapas, nombre que nosotros tenemos
para los truenos, y esto decían por los arcabuces, porque
pensaban que eran truenos del cielo...[17]

La prisión de Atahualpa en Cajamarca

Desde que aquella plaza estuvo cercada y los indios
todos dentro como ovejas, los cuales eran muchos y no
se podían rodear a ninguna parte, ni tampoco tenían
armas, porque no las habían traído, por el poco caso
que hicieron de los españoles, sino lazos y tumes, como
arriba dije. Los españoles con gran furia arremetieron
al medio de la plaza, donde estaba un asiento del Inca
en alto, a manera de fortaleza, que nosotros llamamos
usnu, los cuales se apoderaron de él y no dejaron subir
allá a mi tío [Atahualpa], mas antes al pie de él le
derrocaron de sus andas por fuerza, y se las trastornaron,
y quitaron lo que tenía y la borla, que entre nosotros es
corona.

Y quitado todo lo dicho, le prendieron; y porque los

[17] Tomado de la ed. cit. de Urteaga y Romero, pp. 8-9.

indios daban gritos, los mataron a todos con los caballos, con espadas, con arcabuces, como quien mata a
ovejas, sin hacerles nadie resistencia, que no se escaparon, de más de diez mil, doscientos. Y desde que fueron
todos muertos, llevaron a mi tío Atahualpa a una cárcel, donde le tuvieron toda una noche, en cueros, atada
una cadena al pescuezo . . .[18]

Palabras de algunos capitanes del Inca a los españoles

"¿Qué andáis vosotros aquí con nuestro Inca daca
por allá cada día, hoy prendiéndole, mañana molestán-
dole y otro día haciéndole befas? ¿Qué os ha hecho este
hombre? ¿Así le pagáis la buena obra que os hizo en
meteros a su tierra contra nuestra voluntad? ¿Qué queréis de él, qué más os puede hacer de lo que ha hecho?
¿No os dejó entrar en su tierra con toda paz y sosiego
y con mucha honra? ¿No os envió a llamar a Cajamarca? ¿A los mensajeros que le enviasteis, no os los envió
muy honrados con mucha plata y oro y con mucha
gente? ¿No fueron y vinieron en hamacas trayéndolos su
gente a cuestas?

En Cajamarca ¿no tomasteis dos casas de oro y plata
que le pertenecían, y más lo que os dio Atahualpa, que
todo era de mi Inca, y lo que él os envió de aquí a
Cajamarca, que fue gran cantidad de oro y plata? De
Cajamarca a este pueblo, en ciento treinta leguas que
hay de camino de allá acá, ¿no os hicieron todo buen
tratamiento, dándoos muchos refrescos y gente que os
trajese? ¿Él mismo no os salió a recibir al camino seis
leguas de aquí, en Xaquixaguana? ¿Por vuestro respeto
no quemó la persona más principal que tenía en toda su
tierra, que fue Challcochima, llegados que fuisteis aquí?

[18] *Ibid.*, pp. 11-12.

¿No os dio casas y asientos, y criados y mujeres, y sementeras? ¿No mandó llamar a toda su gente para que os tributasen? ¿No os han tributado? Sí que sí.

El otro día cuando le prendisteis por redimir su vejación, ¿no os dio una casa llena de oro y plata? A nosotros los principales y a toda la gente ¿no nos habéis quitado las mujeres nuestras e hijos e hijas? Y a todo callamos porque él lo quiere por bien y por no darle pena. Nuestra gente ¿no os sirve hasta limpiar con sus capas la suciedad de los caballos y de vuestras casas? ¿Qué más queréis? Todas cuantas veces habéis dicho daca oro, daca plata, junta esto, junta esto otro, ¿no lo ha hecho siempre hasta daros sus mismos criados que os sirvan? ¿Qué más pedís a este hombre? ¿Vosotros no le engañasteis diciendo que veníais por el viento por mandato del Huiracocha que erais sus hijos y decíais que veníais a servir al Inca, a quererle mucho, a tratarle como a vuestras personas mismas a él y a toda su gente?

Bien sabéis vosotros, y lo veis si lo queréis mirar atentamente, que en todo habéis faltado y que en lugar de tratarle como publicasteis al principio, le habéis molestado y molestáis cada credo, sin merecerlo, ni haberos dado la menor ocasión del mundo. ¿De dónde pensáis que ha de sacar tanto oro y plata como vosotros le pedís, pues os ha dado hasta quitarnos a nosotros nuestras joyas, todo cuanto en su tierra tenía? ¿Qué pensáis que os ha de dar ahora por la prisión en que le tenéis preso? ¿De dónde ha de sacar esto que le pedís, no con nada, si no lo tiene, ni tiene qué daros? Toda la gente de esta tierra está muy escandalizada y amedrentada de tal manera de ver vuestras cosas que no saben ya qué decir ni a dónde se puedan ir, porque lo uno, vense desposeídos de su Rey; lo otro, de sus mujeres, de sus hijos, de sus casas, de sus haciendas, de sus tierras; finalmente

de todo cuanto poseían, que cierto están en tanta tribu-
lación que no les resta sino ahorcarse o dar al través
con todo, y aún me lo han dicho a mí muchas veces.

Por tanto, señores, lo más acertado que a mí me parece sería que dejaseis ya descansar a mi Sapai Inca, pues
por vuestra causa está con tanta necesidad, y trabajo, y
le soltaseis de la prisión en que está, porque estos sus
indios no estén con tanta congoja".[19]

3. BREVE RELACIÓN DE LA CONQUISTA, SEGÚN JUAN DE SANTA CRUZ PACHACUTI YAMQUI SALCAMAYHUA

De la obra de Santa Cruz Pachacuti, Relación de antigüedades deste Reyno del Pirú, *tomamos la parte final
en la que da su autor su propia visión de la Conquista.
A través de ella se trasluce su poca simpatía hacia Atahualpa, de quien afirma que se hizo "falso tristi", al
conocer que se había cumplido su orden de dar muerte
a Huáscar.*

Y tras de esto, dentro de pocos días, llegó la nueva de
cómo los españoles habían desembarcado y saltado en
Túmbez, de la cual nueva todos quedan atónitos; y entonces, por consejo de dicho Quisquis, esconde gran má-
quina de riqueza bajo de tierra. Y más dice, que por
orden del dicho Huáscar Inca, antes que hubiera habido
guerras y batallas, los escondieron una maroma de oro y
tres mil cargas de oro y otras tantas o más de plata hacia
en Condessuyo.[20] Al fin, todos los cumbis y ricos vestidos
de oro también los escondieron, y por los indios lo mismo.

[19] *Ibid.,* pp. 48-50.
[20] El Contisuyu: región occidental del Imperio.

En este tiempo, fulano del Barco y Candia llega al Cuzco, sin toparse con Huáscar Inca. Y en este tiempo, dicen que también los prendió a Challcochima y el Huáscar Inca ya iba acercando a Cajamarca.

Y en este tiempo, el Francisco Pizarro prende a Topa Atahualpa Inca, en Cajamarca, enmedio de tanto número de indios, arrebatándoles, después que acabó de hablar con el padre fray Vicente de Valverde, y en donde los dichos indios, de doce mil hombres, fueron matados, quedándose muy pocos. Y por ellos entendieron que era el mismo Pachayachachi Huiracochan o sus mensajeros, y éstos los dejaron; y después, como tiró las piezas de artillería y arcabuces, creyeron que era Huiracocha; y como por los indios fueron avisados que eran mensajeros, así no los tocaron mano ninguno, sin que los españoles recibiesen siquiera ser tocados.

Al fin, [a] Atahualpa echa preso en la cárcel. Y allí canta el gallo, y Atahualpa Inca dice: "Hasta las aves saben mi nombre de Atahualpa." Y así, desde entonces, a los españoles les llamaron Huiracocha. Y esto le llamó, porque los españoles desde Cajamarca los avisó al Atahualpa Inca, diciendo que traía la ley de Dios, hacedor del cielo, y así los llamó a los españoles Huiracocha y al gallo Atahualpa.

Al fin, como digo, el dicho Atahualpa, estando preso, despacha mensajeros a Antamarca, para que acabase de matar a Huáscar Inca y después de haber enviado, se hace falso tristi, dando a entender al capitán Francisco Pizarro. Al fin, por orden del dicho Atahualpa Inca, los mató a Huáscar Inca en Antamarca, y asimismo a su hijo, mujer y madre, con gran crueldad. Y por el marqués sabe todas estas cosas, por quejas y querellas de los curacas [21] agraviados. Al fin, se bautizó y se llamó

21 *Curaca:* jefe de una parcialidad.

D. Francisco. Y después fue ajusticiado el dicho Atahualpa Inca por traidor.

Y después, el capitán Francisco Pizarro parte juntamente con el padre Fray Vicente para el Cuzco, y entonces trajo a un hijo bastardo de Huayna Cápac por Inca, y el cual fallece en el valle de Jauja. Y de allí llega el dicho capitán Francisco Pizarro con sus sesenta o setenta hombres españoles a el puente de Aporima, a donde había venido Manco Inca Yupanqui con todos los orejones y curacas a dar la obediencia y hacerse cristianos.

Al fin, todos allí se juntaron por bien de paz, adorando la cruz de Jesucristo nuestro señor, ofreciéndose a su vasallaje del emperador D. Carlos. Y de allí llegaron a Villcaconga, donde los apocuracas [22] y orejones, de puros alegres y contentos hicieron escaramuzas. Al fin, aquel día llegaron a Saquíxaguana, en donde al día siguiente, el padre Fray Vicente con el capitán Francisco Pizarro les dice a Manco Inca Yupanqui que los quería ver vestidos de Huayña Cápac Inca, su padre. El cual se hace mostrar, y visto por el capitán Pizarro y Fray Vicente, les dice que vistieran aquel vestido más rico. Al fin, se vistió el mismo Pizarro en nombre del Emperador.

Al fin, el dicho Pizarro y todos parten para el Cuzco, y el Manco Inca Yupanqui en sus literas. Al fin, los españoles y curacas vinieron con mucha orden, y el Inca con el padre y capitán Francisco Pizarro, que después de mucho tiempo se llamó don Francisco Pizarro.

Como digo, todos vinieron al Cuzco, y en junto del pueblo de Anta toparon con Quisquis, capitán tirano del dicho Atahualpa Inca. Al fin, les dio batalla todos los orejones y con los españoles. Y así, se fueron hacia

[22] *Apocuracas:* principales jefes.

Capi; y el marqués con el Inca, en compañía del Santo Evangelio de Jesucristo nuestro señor, entraron con gran aparato real y pompa de gran majestad. Y el marqués con sus canas y barbas largas representaba la persona del emperador don Carlos V y el padre fray Vicente, con su mitra y capa, representaba la persona de San Pedro, pontífice romano, no como Santo Tomás, hecho pobre. Y el dicho Inca con sus andas de plumerías ricas, con el vestido más rico, con su suntorpaucar [23] en la mano, como rey son sus insignias reales de capac unancha y los naturales gran alegría, y tantos españoles.

Al fin, el dicho fray Vicente va derecho a Coricancha, casa hecha de los incas antiquísimos para el Hacedor. Al fin, la ley de Dios y su Santo Evangelio tan deseado, entró a tomar la posesión a la nueva viña, que estaba tanto tiempo usurpado de los enemigos antiguos.

Y allí predica en todo el tiempo como otro Santo Tomás, el apóstol, patrón de este reino, sin descansar, con el celo de ganar almas, haciéndolos convertir, bautizándole a los curacas con hizopos nomás. Porque no pudieron echar agua a cada uno, que si hubiera sabido la lengua, hubiera sido mucha su diligencia, más por intérprete hablaba. No estaba desocupado como los sacerdotes de ahora; ni los españoles por aquel año se aplicaba a la sujeción de interés como ahora. Lo que es llamar a Dios, hacía mucha devoción en los españoles y los naturales eran exhortados de buenos ejemplos.[24]

---

[23] *Suntorpaucar:* flor redonda.
[24] Tomado de la *Relación de Antigüedades deste Reyno del Pirú,* por Don Juan de Santa Cruz Pachacuti Yamqui Salcamayhua, en *Tres Relaciones Peruanas* (ed. Marcos Jiménez de la Espada), Madrid, 1879.

4. MANCO II PIDE LA RESTITUCIÓN DE SU PODER COMO INCA

Para dar sólo un ejemplo de la forma como presenta los hechos de la Conquista Garcilaso de la Vega, se transcribe un pasaje de la Segunda Parte de los Comentarios Reales, *donde aparece Manco Inca hablando ante sus propios capitanes para hacerles ver la necesidad de exigir de los españoles se restituyera la antigua forma de gobierno. Como ya se dijo en la Introducción, el testimonio de Garcilaso, criticado numerosas veces desde el punto de vista histórico, tan sólo parcialmente puede considerarse dentro de esta "Memoria Quechua de la Conquista". De cualquier manera, su obra constituye la primera versión, al menos hasta cierto grado vinculada a lo indígena, que se conoció y difundió al ser publicada a principios del siglo* XVII *en el viejo mundo.*

Manco Inca, con los avisos que su hermano Titu Atauchi y el maese de campo Quizquiz le enviaron, se apercibió, como atrás dijimos, para ir a visitar al Gobernador y pedirle la restitución de su Imperio y el cumplimiento de los demás capítulos que su hermano y todos los capitanes principales del Reino habían ordenado.

Entró en consejo con los suyos una y dos y más veces, sobre cómo iría, si acompañado de gente de guerra o de paz. En lo cual estuvieron dudosos los consejeros, que unas veces les parecía mejor lo uno y otras veces lo otro, pero casi siempre se inclinaban a que fuese asegurado con ejército poderoso, conforme al parecer de Quizquiz, porque no le acaeciese lo que a su hermano Atahuallpa; que se debía presumir que los forasteros harían más virtud por temor de las armas que no por agradecimiento de los comedimientos, porque los de Atahuallpa antes le habían dañado que aprovechado. Estando los del consejo para resolverse en este parecer, habló el Inca diciendo:

"¡Hijos y hermanos míos! Nosotros vamos a pedir justicia a los que tenemos por hijos de nuestro Dios Viracocha, los cuales entraron en nuestra tierra publicando que el oficio principal dellos era administrarla a todo el mundo. Creo que no me la negarán en cosa tan justificada como nuestra demanda, porque (conforme a la doctrina que nuestros mayores siempre nos dieron), les conviene cumplir con las obras lo que han prometido por sus palabras, para mostrarse que son verdaderos hijos del Sol. Poco importará que los tengamos por divinos si ellos lo contradicen con la tiranía y maldad.

Yo quiero fiar más de nuestra razón y derecho que no de nuestras armas y potencia. Quizá, pues dicen que son mensajeros del Dios Pachacámac, le temerán, pues saben (como enviados por él), que no hay cosa que tanto aborrezca como que no hagan justicia los que están puestos por superiores para administrarla, y que, en lugar de dar a cada uno lo que es suyo, se lo tomen para sí. Vamos allá armados de justa demanda; esperemos más en la rectitud de los que tenemos por dioses, que no en nuestras diligencias, que si son verdaderos hijos del Sol, como lo creemos, harán como Incas: darnos han nuestro Imperio, que nuestros padres, los Reyes pasados, nunca quitaron los señoríos que conquistaron, por más rebeldes que hubiesen sido sus curacas. Nosotros no lo hemos sido, antes todo el Imperio se les ha rendido llanamente.

Por tanto, vamos de paz, que si vamos armados, parecerá que vamos a hacerles guerra y no a pedirles justicia, y daremos ocasión a que nos la nieguen; que a los poderosos y codiciosos cualquiera les basta para hacer lo que quieren y negar lo que les piden.

En lugar de armas llevémosles dádivas de lo que tenemos, que suelen aplacar a los hombres airados y a nuestros dioses ofendidos. Juntad todo el oro y plata y piedras preciosas que pudiéredes; cácense las aves y animales que se pudieren haber; recójanse las frutas mejores y más delicadas que poseemos; vamos como mejor pudiéremos, que, ya que nos falta nuestra antigua pujanza de Rey, no nos falta el ánimo de Inca.

Y si todo no bastase para que nos restituyan nuestro Imperio, entederemos claramente que se cumple la profecía de nuestro padre Huayna Cápac que dejó dicho: había de enajenarse nuestra monarquía, perecer nuestra república y destruirse nuestra idolatría. Ya vemos cumplirse parte desto. Si el Pachaca lo tiene así ordenado, ¿qué podemos hacer sino obedecerle? Hagamos nosotros lo que es razón y justicia, hagan ellos lo que quisieren."

Todo esto dijo el Inca con gran majestad; sus capitanes y curacas se enternecieron de oír sus últimas razones, y derramaron muchas lágrimas, considerando que se acababan sus Reyes Incas.[25]

5. TRAGEDIA DEL FIN DE ATAHUALPA

De esta pieza de teatro en lengua quechua, que aún ahora se representa en diversos lugares de la sierra, se transcriben aquí los diálogos entre el capitán Sairi Túpac, hijo del futuro Inca Manco II, y Pizarro, quien habla por medio del intérprete Felipillo, así como las palabras del propio Atahualpa al caer prisionero de los conquistadores. Como ya se dijo en la introducción, más que un testimonio histórico de la Conquista, esta tragedia es memoria y reflejo de los sentimientos de quienes, descen-

[25] Garcilaso Inca de la Vega, *Historia General del Perú*, vol. i, pp. 215-217.

dientes de los vencidos, guardaron el recuerdo de la destrucción del estado incaico.

SAIRI TÚPAC

Barbudo, adversario, hombre rojo,
¿por qué tan sólo a mi señor,
a mi Inca le andas buscando?
¿No sabes que Atahualpa
es Inca y único señor?
¿Acaso ignoras
que dueño es de esta clava de oro,
acaso ignoras que estas,
dos serpientes de oro
son de su propiedad?
Antes de que levante
ésta su clava de oro, antes
de que vayan a devorarte
estas serpientes de oro
piérdete, regresa a tu tierra, /
barbudo enemigo, hombre rojo.

[PIZARRO *sólo mueve los labios*]

SAIRI TÚPAC

Hombre rojo que ardes como el fuego
y en la quijada llevas densa lana,
me resulta imposible
comprender tu extraño lenguaje.
Yo no sé qué me dices, no lo puedo
saber de ningún modo.
Antes de que mi solo señor, mi Inca
monte en cólera, vete, piérdete.

[PIZARRO *sólo mueve los labios*]

171

FELIPILLO

Sairi Túpac, inca que manda,
este rubio señor te dice:
"¿Qué necedades vienes
a decirme, pobre salvaje?
Me es imposible comprender
tu obscuro idioma.
Pero yo te pregunto
dónde se halla tu señor Inca.
Yo vengo en busca de él
y me propongo conducirlo;
si no, obtendré siquiera su cabeza
o bien su insignia real, para que vea
el poderoso señor, rey de España."
Eso te dice este guerrero,
Sairi Túpac, inca que manda.

SAIRI TÚPAC

Barbudo enemigo, hombre rojo,
tampoco yo a entender alcanzo
ése tu idioma. A la morada
de mi señor acércate,
acaso él pueda comprenderte.
Encuéntrate con él y con él habla
como con quien más potestad posee.

[FELIPILLO *parlotea a Pizarro*]

SAIRI TÚPAC [*a Atahualpa*]

¡Ay, ay, mi muy amado
Atahualpa, Inca mío!
Me es imposible descifrar

el lenguaje del enemigo.
Me infunde miedo el deslumbrar
de su honda de hierro.
Te toca a ti, solo señor, mi Inca,
como a poderoso que eres,
verte y hablar de igual a igual con él;
acaso tú desentrañar pudieras
ese su atronador idioma.
Yo no he podido comprenderle
de ninguna manera.
He aquí tu clava de oro,
he aquí también tus dos serpientes,
he aquí también tu feroz anutara.
he aquí tu honda de oro
de invencible poder.

ATAHUALPA

Nada hay que hacer entonces.
Mis muy amados incas,
todos vosotros competid
sea con la honda o con la clava;
hacedlos volver a su tierra;
por el sitio por donde aparecieron,
por ahí mismo que regresen.
No os dejéis derrotar
por los enemigos de barba.

HUAYLLA HUISA

Mis muy amados incas,
acudid sin tardanza.
Vamos a competir todos en uno
con los barbudos enemigos.
Los venceremos y los echaremos
hasta su pueblo, hasta su patria.

Solo señor que a todos miedo infunde,
que vence a todos y gobierna,
Atahualpa, Inca mío,
hombres barbudos y agresivos
manchando de rojo el trayecto
hacia aquí se dirigen.

ATAHUALPA [*a Pizarro*]

Barbudo enemigo, hombre rojo,
¿de dónde llegas extraviado
a qué has venido,
qué viento te ha traído,
qué es lo que quieres
aquí en mi casa, aquí en mi tierra?
En la ruta que has recorrido,
no te abrasó el fuego del sol,
y el frío no te atravesó,
y el monte, retirándose a tu paso,
no te aplastó bajo sus peñas,
y, abriéndose a tus pies, la tierra
no pudo sepultarte,
y el océano, envolviéndote,
no te hizo desaparecer.
¿De qué modo has venido
y qué quieres conmigo?
Vete, regresa a tu país
antes de que levante esta mi clava
de oro y vaya a terminar contigo.
Enemigo barbudo, ya te he dicho
que a tu tierras te vayas.

[PIZARRO *vocifera con furiosos ademanes*]

Señor Inca Atahualpa,
te dice este señor que manda:
"Es inútil que digas cualquier cosa
y te desates en palabras
que no se pueden comprender.
Yo soy un hombre pertinaz
y todos ante mí se humillan.
Te concedo un instante
a fin de que te alistes
y te despidas
de estos prójimos tuyos.
Prepárate, que has de partir
junto conmigo a la llamada
ciudad de Barcelona.
Del mismo modo que en tus manos
humillaste a tu hermano
el Inca Huáscar, asimismo
ante mí te doblegarás."

SAIRI TÚPAC

Barbudo enemigo, ¿por qué
al Inca mi único señor,
tan rudamente le maniatas?
Él nació libre y suelto
igual que la taruca,
él es tan fuerte como el puma.
Otro hombre tan notable
y generoso como él, no existe.

[PIZARRO *sólo mueve los labios*]

FELIPILLO

Sairi Túpac, señor que manda,
este rubio señor te dice:
"Ya dije a qué he venido a esta tierra:
tengo que conducir
a este señor a la presencia
de mi señor omnipotente.
Y no he de decirlo otra vez."

ATAHUALPA

¡Ay de mí!, mi amadísimo señor,
a Huiracucha parecido,
ya me encuentro en tus manos,
¿por qué te encolerizas ya?
Quizá te sientes fatigado,
descansa un poco;
acaso vienes por el sol vencido,
toma un poco de sombra
debajo de este mi árbol de oro.
Ya me hallo doblegado
a tus pies, bajo tu dominio.

ÑUST'ACUNA [las princesas]

Único señor, Atahualpa,
    Inca mío,
el barbudo enemigo te encadena,
    Inca mío,
para acabar con tu existencia,
    Inca mío,
para usurparte tus dominios,
    Inca mío.
El barbudo enemigo tiene,

Inca mío,
el corazón ansioso de oro y plata,
Inca mío.
Si oro y plata demanda,
Inca mío,
le entregaremos al instante,
Inca mío.

[PIZARRO *sólo mueve los labios*]

FELIPILLO

Único Inca Atahualpa,
este fuerte señor te dice:
"Hoy día mismo partirás
a donde yo te diga."

ATAHUALPA

Ay, señor Huiracucha,
no muestres ese continente.
Si oro y plata deseas
te los pondré inmediatamente
hasta cubrir todo el paraje
que abarque el tiro de mi honda.

[PIZARRO *sólo mueve los labios*]

FELIPILLO

Solo señor, Inca Atahualpa,
este fuerte señor te dice:
"Deseo que recubran
esta llanura de oro y plata."

SAIRI TÚPAC

Mi muy amado y único señor.
Atahualpa Inca mío,
iremos corriendo, volando,
igual que el huaychu
y para estos barbudos enemigos
traeremos oro y plata
hasta cubrir esta llanura.

[PIZARRO *mueve los labios*]

FELIPILLO

Sólo señor, Inca Atahualpa,
este fuerte señor te dice:
"Yo vengo con el fin irremisible
de llevar tu cabeza
o por lo menos tu imperial insignia
para que mi soberano la vea."

ATAHUALPA

Ay, barbudo enemigo, huiracucha,
en nuestra entrevista de ayer
pudiste verme en medio
de mis innúmeros vasallos,
honrado, conducido en alto
en regia litera, de oro.
Y ahora, viéndome a tus plantas
humillado,
me hablas con arrogancia.
¿Pero, acaso tú ignoras
que de mi voluntad depende todo,
que la plata y el oro

a mi mandato están subordinados?
Pídeme aquello
que llevarte deseas,
te lo alcanzaré con mis manos.
He aquí mi llaut'u de oro,
he aquí también mi clava de oro,
he aquí también mi honda de oro.
Te lo daré también todo eso.
No me quites, pues, la existencia,
poderoso señor...[26]

6. UNA ELEGÍA QUECHUA SOBRE LA MUERTE DE ATAHUALPA

De las varias elegías y cantares que se conocen en quechua acerca de la Conquista, transcribimos ésta, conocida bajo el título de Apu Inca Atahualpaman. De autor anónimo, no se ha establecido hasta ahora la fecha en que probablemente pudo haber sido compuesta. Como lo nota José Mª Arguedas, a quien se debe la presente traducción, "la palabra, el acento, el metro y la rima han sido empleados con sabiduría y fluidez, como instrumentos legítimos al servicio de un poeta que clama, contemplando la destrucción de un mundo, la desolación de un pueblo hundido en el extravío y la esclavitud..."

¿Qué arco iris es este negro arco iris
que se alza?
Para el enemigo del Cuzco horrible flecha
que amanece.
Por doquier granizada siniestra
golpea.

[26] *Tragedia del Fin de Atawallpa,* ed. cit. de Jesús Lara, pp. 127-145.

Mi corazón presentía
a cada instante,
aun en mis sueños, asaltándome,
en el letargo,
a la mosca azul anunciadora de la muerte;
dolor inacabable.

El sol vuélvese amarillo, anochece,
misteriosamente;
amortaja a Atahualpa, su cadáver
y su nombre;
la muerte del Inca reduce
al tiempo que dura una pestañada.

Su amada cabeza ya la envuelve
el horrendo enemigo;
y un río de sangre camina, se extiende,
en dos corrientes.

Sus dientes crujidores ya están mordiendo
la bárbara tristeza;
se han vuelto de plomo sus ojos que eran como el sol,
ojos de Inca.

Se ha helado ya el gran corazón
de Atahualpa.
El llanto de los hombres de las Cuatro Regiones
ahogándole.

Las nubes del cielo han dejado
ennegreciéndose;
la madre Luna, transida, con el rostro enfermo,
empequeñece.
Y todo y todos se esconden, desaparecen,
padeciendo.

La tierra se niega a sepultar
a su Señor,
como si se avergonzara del cadáver
de quien la amó,
como si temiera a su adalid
devorar.

Y los precipicios de rocas tiemblan por su amo,
canciones fúnebres entonando,
el río brama con el poder de su dolor,
su caudal levantando.

Las lágrimas en torrentes, juntas,
se recogen.
¿Qué hombre no caerá en el llanto
por quién le amó?
¿Qué hijo no ha de existir
para su padre?

Gimiente, doliente, corazón herido
sin palmas.
¿Qué paloma amante no da su ser
al amado?
¿Qué delirante e inquieto venado salvaje
a su instinto no obedece?

Lágrimas de sangre arrancadas, arrancadas
de su alegría;
espejo vertiente de sus lágrimas
¡Retratad su cadáver!
Bañad todos, en su gran ternura
vuestro regazo.

Con sus múltiples, poderosas manos,
los acariciados;

con las alas de su corazón
los protegidos;
con la delicada tela de su pecho
los abrigados;
claman ahora;
con la doliente voz de las viudas tristes.

Las nobles escogidas se han inclinado, juntas,
todas de luto,
el Huillaj Umu se ha vestido de su manto
para el sacrificio.
Todos los hombres han desfilado
a sus tumbas.

Mortalmente sufre su tristeza delirante,
la Madre Reina;
los ríos de sus lágrimas saltan
al amarillo cadáver.
Su rostro está yerto, inmóvil,
y su boca, [dice:]
"¿A dónde te fuiste, perdiéndote
de mis ojos,
abandonando este mundo
en mi duelo;
eternamente desgarrándote,
de mi corazón?

Enriquecido con el oro del rescate
el español.
Su horrible corazón por el poder devorado;
empujándose unos a otros,
con ansias cada vez más oscuras,
fiera enfurecida.
Les diste cuanto pidieron, los colmaste;
te asesinaron, sin embargo.

Sus deseos hasta donde clamaron los henchiste
tú solo;
y muriendo en Cajamarca
te extinguiste.

Se ha acabado ya en tus venas
la sangre;
se ha apagado en tus ojos
la luz;
en el fondo de la más intensa estrella ha caído
tu mirar.

Gime, sufre, camina, vuela enloquecida
tu alma, paloma amada;
delirante, delirante, llora, padece
tu corazón amado.
Con el martirio de la separación infinita
el corazón se rompe.

El límpido resplandeciente trono de oro,
y tu cuna;
los vasos de oro, todo,
se repartieron.

Bajo extraño imperio, aglomerados los martirios,
y destruidos;
perplejos, extraviados, negada la memoria,
solos;
muerta la sombra que protege;
lloramos;
sin tener a quién o a dónde volver,
estamos delirando.

¿Soportará tu corazón,
Inca,

nuestra errabunda vida
dispersada,
por el peligro sin cuento cercada, en manos ajenas,
pisoteada?

Tus ojos que como flechas de ventura herían,
ábrelos;
tus magnánimas manos
extiéndelas;
y con esa visión fortalecidos
despídenos.[27]

[27] *Apu Inca Atawallpaman,* ed. cit.

REFERENCIAS BIBLIOGRÁFICAS

Siendo el propósito de este libro presentar la historia de la Conquista desde el punto de vista indígena, se incluyen aquí únicamente las referencias bibliográficas de las principales fuentes escritas por autores del mundo azteca o náhuatl, mayance y quechua. Respecto de los cronistas españoles de la Conquista, tan sólo se mencionan algunas obras fundamentales en las que pueden hallarse estudios historiográficos sobre los mismos.

I. CONQUISTA DE MÉXICO

OBRAS DE AUTORES INDÍGENAS

"Relación Anónima de Tlatelolco" (1528), en *Unos Anales Históricos de la Nación Mexicana,* edición facsimilar de Ernst Mengin publicada en el tomo II del *Corpus Codicum Americanorum Medii Aevi,* Copenhagen, 1945.

Cantares Mexicanos, Ms. de la Biblioteca Nacional. Copia fotográfica por Antonio Peñafiel. México, 1904.

Códice Florentino (ilustraciones), ed. facs. de Paso y Troncoso, vol. v, Madrid, 1905.

—— (textos nahuas de Sahagún), libro XII acerca de la Conquista, publicado por Dibble y Anderson: *Florentine Codex,* Santa Fe, New Mexico, 1959.

Códice Ramírez, "Relación del origen de los indios que habitan esta Nueva España", según sus historias, México, Editorial Leyenda, 1944.

Chimalpain Cuauhtlehuanitzin, Domingo, *Sixième et Septième Relations* (1358-1612), Publiés et traduites par Remi Siméon, París, 1889.

Ixtlilxóchitl, Fernando de Alva, *Obras Completas,* 2 vols., México, 1891-1892.

Visión de los Vencidos, Relaciones indígenas de la Conquista, (Edición de Miguel León-Portilla y Ángel Ma. Garibay K.), 2ª edición, México, Bibl. del Estudiante Universitario, 1961.

Tezozómoc, F. Alvarado, *Crónica Mexicana,* edición de Vigil. Reimpreso por la Editorial Leyenda, México, 1944.

ALGUNAS OBRAS PRINCIPALES EN RELACIÓN CON LA HISTORIOGRAFÍA DE LA CONQUISTA

Aguilar, fray Francisco de: *Historia de la Nueva España,* 2ª ed. copiada y revisada por Alfonso Teja Zabre. México, Ediciones Botas, 1938.

Conquistador Anónimo, *Relación de algunas cosas de la Nueva España y de la gran ciudad de Temestitan México; escrita por un compañero de Hernán Cortés,* México, Edición Alcancía, 1938.

Cortés, Hernán: *Cartas de Relación de la Conquista de México* (Cartas y relaciones al emperador Carlos V), Edic. de Gayangos, París, 1866. Existen otras varias ediciones más recientes: en *Cartas y Relaciones de la Conquista de América,* México, Editorial Nueva España, s.f. Hay una edición económica: *Cartas de Relación de la Conquista de México,* 3ª edición, Buenos Aires-México, Espasa Calpe Argentina, 1957.

Díaz del Castillo, Bernal: *Historia verdadera de la conquista de la Nueva España,* 3 vols., México, Robredo, 1939. Véase además la edición preparada por J. Ramírez Cabañas, 2 vols., México, Editorial Porrúa, 1955.

Durán, fray Diego: *Historia de las Indias de Nueva España e Islas de Tierra Firme,* 2 vols. y atlas, publicado por José F. Ramírez. México, 1867-1880.

Garibay K., Ángel Ma., *Historia de la Literatura Náhuatl,* 2 vols., México, Editorial Porrúa, 1953-1954.

Orozco y Berra, Manuel: *Historia antigua y de la conquista de México,* 4 vols. y atlas. México, 1880.

Prescott, William: *History of the Conquest of Mexico,* Ed. John Foster Kirk, London, Ruskin House, Museum St., 1949.

Sahagún, fray Bernardino de: *Historia General de las Cosas de Nueva España,* Edición Bustamante, 3 vols. México, 1829. Edic. Robredo, 5 vols. México, 1938. Edic. Acosta Saignes, 3 vols. México, 1946. Edic. Porrúa, preparada por el doctor Garibay, 4 vols., 1956.

Tapia, Andrés de: "Relación sobre la Conquista de México", en *Colección de Documentos para la Historia de México,* publicada por J. G. Icazbalceta, tomo II, México, 1866.

Vázquez de Tapia, Bernardino: *Relación del Conquistador...* publicada por Manuel Romero de Terreros. México, Editorial Polis, 1939.

Yáñez, Agustín: *Crónicas de la Conquista*. 2ª ed., México, Biblioteca del Estudiante Universitario, UNAM, 1950.

II. CONQUISTA DE YUCATÁN Y GUATEMALA

OBRAS DE AUTORES INDÍGENAS

Códice Pérez. Traducción libre del maya al castellano por Emilio Solís Alcalá. Mérida, Ediciones de la Liga de Acción Social, 1949.

Crónica de Chac-Xulub-Chen, versión de Héctor Pérez Martínez, en *Crónicas de la Conquista,* México, Biblioteca del Estudiante Universitario, UNAM, 1950.

Crónicas Indígenas de Guatemala, edición de Adrián Recinos, Guatemala, Editorial Universitaria, 1957.

Libro de los Libros de Chilam Balam (El), edición de Alfredo Barrera Vásquez, México, Fondo de Cultura Económica, 1948 (2ª edición, 1963).

Makenson, Maud W. *The Book of the Jaguar Priest,* a translation of the book of Chilam Balam of Tizimin, New York, H. Schuman, 1951.

Mayan Chronicles (The), edited by Alfredo Barrera Vásquez and Sylvanus Griswold Morley, Washington, Carnegie Institution of Washington, Publication 585, pp. 1-86, 1949.

Mediz Bolio, Antonio, *El Libro de Chilam Balam de Chumayel,* San José, Costa Rica, 1930.

Memorial de Sololá, (Anales de los Cakchiqueles) y *Título de los Señores de Totonicapán,* edición de Adrián Recinos, México, Fondo de Cultura Económica, 1950.

Memorial de Tecpan-Atitlán (Anales de los Cakchiqueles), edición de J. Antonio Villacorta, Guatemala, 1936.

Scholes, France V. and Roys, Ralph L, *The Maya Chontal Indians of Acalan-Tixchel,* Washington, Carnegie Institution of Washington, Publication 560, 1948.

ALGUNAS OBRAS PRINCIPALES EN RELACIÓN CON LA HISTORIOGRAFÍA DE LA CONQUISTA

Alvarado, Pedro de, "Otra relación hecha a Hernando de Cortés en que se refiere la Conquista de muchas ciudades, las guerras, batallas, traiciones y rebeliones que sucedieron, y la población que hizo de una ciudad; de dos volcanes, uno que exhalaba fuego, y otro humo; de un río hirviendo y otro frío; y como quedó Alvarado herido de un flechazo", en Biblioteca de Autores Españoles, tomo I, pp. 460-463. Madrid, Imprenta y Estereotipia de Rivadeneyra, 1852.

——, "Relación hecha a Hernando Cortés en que se refieren las guerras y batallas para pacificar las provincias de Chapolutan, Checialtenengo y Utatlán, la quema de su cacique y nombramiento de sus hijos para sucederle, y de tres sierras de acije, azufre y alumbre", en *ibid.* pp. 457-459.

Cogolludo, Diego López, *Historia de Yucatán,* Mérida. 3ª ed. 2 vols., 1867-68.

Chamberlain, Robert S., *The Conquest and Colonization of Yucatan,* 1517-1550, Washington, Carnegie Institution of Washington, Publication 582, 1948.

Díaz Vasconcelos, Luis Antonio, *Apuntes para la Historia de la Literatura Guatemalteca,* Épocas indígena y colonial, 2ª edición, Guatemala, C.A., 1950.

Landa, fray Diego de, *Relación de las Cosas de Yucatán,* México, 1938.

Morley, Sylvanus G., *La Civilización Maya,* México, Fondo de Cultura Económica, 1947.

Rubio Mañé, José Ignacio, *Monografía de los Montejos,* Mérida, 1930.

Thompson, J. Eric S., *Grandeza y Decadencia de los Mayas,* (Trad. de Lauro José Zavala). México, Fondo de Cultura Económica, 1959.

Tozzer, Alfred M., "The Chilam Balam books and the possibility of their translation", en *Proc. 19th Int. Cong. Americanists,* Washington. pp. 178-186, 1915.

——, "Landa's *Relación de las Cosas de Yucatán.* The translation edited with notes." Cambridge, Papers of the Peabody Museum. Harvard University. vol. 18, 1949.

III. CONQUISTA DEL PERÚ

OBRAS DE AUTORES INDÍGENAS

Apu Inca Atawallpaman, Elegía quechua anónima, traducción de José Mª Arguedas, Lima: Juan Mejía Baca Editor, s.f.

Pachacutic Yamqui Salcamaygua, Juan de Santa Cruz, *Relación de Antigüedades deste Reyno del Pirú,* en *Tres Relaciones Peruanas,* edición de Marcos Jiménez de la Espada, Madrid, 1879. (Publicada asimismo en Asunción del Paraguay: Editorial Guaranía, 1950.)

Poma de Ayala, Guamán, *Nueva Corónica y Buen Gobierno* (Codex péruvien illustré), edición facsimilar de Paul Rivet, en *Travaux et Memoires de L'Institut d'Ethnographie,* XXIII, París, 1936. (Hay una versión paleográfica con reproducción de los dibujos originales, preparada por Arturo Posnansky, La Paz, Bolivia, 1944.)

Yupanqui, Titu Cusi (D. Diego de Castro), *Relación de la Conquista del Perú y Hechos del Inca Manco II,* edic. de Horacio H. Urteaga y Carlos A. Romero, Colección de Libros y Documentos referentes a la Historia del Perú, 1ª serie, tomo II, Lima, 1916.

Tragedia del fin de Atahualpa, monografía y traducción de Jesús Lara, Cochabamba, Imprenta Universitaria, 1957.

ALGUNAS OBRAS PRINCIPALES EN RELACIÓN CON LA HISTORIOGRAFÍA DE LA CONQUISTA

Basadre, Jorge, *Selección de Literatura Inca,* Biblioteca de Cultura Peruana, 1ª Serie, nº 1, París, 1938. (Con una extensa "Bibliografía de la literatura Quechua".)

Crónicas de la Conquista del Perú (Textos de Francisco de Jerez, Pedro Cieza de León y Agustín de Zárate, revisados y anotados por Julio Le Riverend). México, Editorial Nueva España, s.f.

Inca de la Vega, Garcilaso, *Historia General del Perú,* Segunda Parte de los *Comentarios Reales.* 4 vols., Lima, Universidad Mayor de San Marcos, 1962.

Lara, Jesús, *Literatura de los Quechuas,* Cochabamba, Editorial Canelas, 1960.

Las Casas, fray Bartolomé de, *De las antiguas gentes del Perú,* ed. de Marcos Jiménez de la Espada. Madrid, 1892.

Mason Alden, *Las Antiguas Culturas del Perú,* México, Fondo de Cultura Económica, 1962.

Means, Philip Ainsworth, "Biblioteca Andina: Part One, the Chroniclers, or the writers of the Sixteenth and Seventeenth Centuries Who Treated of the Pre-Hispanic History and Culture of the Andean Countries". Connecticut Academy of Arts and Sciences, *Transactions,* vol. XXIX, pp. 271-525. New Haven, 1928.

———, *Fall of the Inca Empire and the Spanish Rule in Peru*, 1530-1780, New York, 1932.

Porras Barrenechea, Raúl, *Cronistas del Perú*. Lima, Sanmartí y Cía., Impresores, 1962.

Prescott, William H., *History of the Conquest of Peru*, with a preliminary view of the civilizations of the Incas. 2 vols., London, 1847. (Existen varias ediciones en castellano.)

Relaciones Geográficas de Indias, Perú, 4 vols., Madrid, 1881-1897.

Tres Testigos de la Conquista del Perú (Hernando Pizarro, Juan Ruiz de Arce y Diego de Trujillo), ed. Conde de Canilleros, Buenos Aires, Espasa Calpe Argentina, 1953.

Valcárcel, Luis E., *Historia de la Cultura Antigua del Perú*, 2 vols. Lima, Imprenta del Ministerio de Educación Pública, 1943 y 1949.

Vargas Ugarte, Rubén, *Manual de Estudios Peruanistas*. Lima, Librería Studium, 1952.

ÍNDICE GENERAL

EL REVERSO DE LA CONQUISTA
SE IMPRIMIÓ EN LOS TALLERES DE
IMPRESORA PUBLIMEX, S. A.
CALZ. SAN LORENZO 279-32
INDUSTRIAL IZTAPALAPA
SE TIRARON 2000 EJEMPLARES
Y SOBRANTES PARA REPOSICIÓN

IMPRESO Y HECHO EN MÉXICO
PRINTED AND MADE IN MÉXICO